ISBN 978-0-428-52030-4
PIBN 11241180

XIII. Jahresbericht

des

k. k. Kaiserin Elisabeth-Staats-Ober-Gymnasiums

in

Lundenburg

für das Schuljahr 1911—12.

Inhalt:

1. Quid e Senecae philosophi eiusque patris scriptis de luxuria illius aetatis collig queat et quid his de rebus censuerit philosophus. Scripsit Rudolphus Reich.

2. Schulnachrichten, Vom Direktor.

Quid e Senecae philosophi eiusque patris scriptis de luxuria illius aetatis colligi queat et quid his de rebus censuerit philosophus.

Scripsit Rudolphus Reich.

De luxuria Romanorum qualis Caesarum aetate fuerit recte iudicare si quis animum sibi induxerit, in lubrico se versari mox concedet. Cuius rei cum aliae tum haec potissimum causa cognosci potest, quod plerique scriptores Romanorum eo maxime consilio libros videntur composuisse, ut vetera semper summis efferrent laudibus, „detrectarent praesentia." [1] Valuit vero quod Tacitus Aprum dicentem fingit vetera semper in laude, praesentia in fastidio esse.[2]

Tempora fieri deteriora,[3] depravatos esse mores, vigere helluationem, luxuriam in dies crescere quamvis in hoc aut illo genere iustae et aequae sint querellae, tamen nimium in maius videntur extolli,[4] quam ut ex hoc fonte indicium hauriri possit rectum. Huc accedit, quod tres illi auctores, qui praeter alios in contemplatione luxuriae Romanorum studia ponebant — M. Varronem dico, L. Senecam, C. Plinium Secundum —, simplicitate quadam morum utebantur et severa vitae consuetudine atque etiam animi quodam iudicio temperantiam exercebant omnem modum excedentem. Antiquus ille Romanorum rigor et nimia severitas [5] ex eorum sententiis videtur elucere. Quam facile severos illos morum castigatores quidquid a moribus eorum abhorruerit per speciem luxuriae offendere potuerit, perspicias, si Plinii aut Varronis rationes vitae tecum reputas. (Quid Seneca philosophus his de rebus censuerit, in alia huius opusculi parte dicendum erit.) Uterque, Plinius et Varro, omnem exprobrat vitae commoditatem omnemque vitae cultum. Plinius quidem, celeberrimus ille naturalis historiae scriptor, qui rerum naturam contemplatus quam profundas habeat opes priscum quendam intra naturae fines vivendi modum, cum homines „pulte, non pane vixerunt," [6] desiderat,

---

[1] Ovid. trist. IV, 10, 123. (Ehwald.)
[2] Tac. dial. 18, 17. (Halm.)
[3] cf. Sen. contr. II pr. 7: in deterius cotidie data res est....
[4] cf. H. Schiller, Gesch. d. röm. Kaiserzeit I, pag. 431: Die antiken Nachrichten sind übertrieben.....
[5] cf. Tac. hist. I, 18.
[6] cf. nat. hist. 18, 83.

1*

usque eo progreditur, ut nihil utique homini sic quomodo rerum naturae placere censeat.[7] Varro reprehendit, quod vescendi causa terra marique omnia exquirantur.

Hoc profecto suffecerit ostendere, quam caute eorum sententiae accipiendae sint. Luce vel clarius est fieri non posse, ut vitam veterum et priscorum, ut aiebant, Romanorum eadem metiamur aestimatione qua vitam Romanorum. Augusti aetate et postea. Nemo miratur aliqua victus lautitia Romanos usos esse ea aetate, cum opes Romanorum maxime florerent, „porrecta maiestate ad ortus Solis ab Hesperio cubili,"[8] congererentur tot regionum et tot terrarum divitiae Romam, cum victoriae de Macedonibus, Aetolis, Syris, Gallograecis reportatae una cum divitiis peregrinos importarent mores ad luxuriam, ignaviam, mollitiam compositos. Huc pertinere videntur haec Livii verba:[9] „luxuriae enim peregrinae origo ab exercitu Asiatico invecta in urbem est. Ii primum lectos aeratos, vestem stragulam pretiosam, plagulas et alia textilia et quae tum magnificae supellectilis habebantur, monopodia et abacos advexerunt. Tum psaltriae sambucistriaeque et convivalia ludorum oblectamenta addita epulis; epulae quoque ipsae et cura et sumptu maiore apparari coeptae. Tum coquus, vilissimum antiquis mancipium et aestimatione et usu, in pretio esse, et quod ministerium fuerat, ars haberi coepta."

Quae cum ita sint, Ludovici F r i e d l a e n d e r opinioni mihi accedendum puto, qui in illis lamentationibus „de aetate dapibus libidinosa"[10] nihil aliud cognosci vult quam consuetudinem profectam a rhetoribus. Haec enim Friedlaender:[11] Man glaubt in diesen „Kapuzinerpredigten," wie sie Goethe genannt hat, eine der von der Rhetorenschule anhaftenden Gewohnheiten zu erkennen, wo derartige Vergleichungen zu den Gemeinplätzen gehört haben... Atque etiam hoc animadvertendum est, quam saepe varia illa luxuriae genera, quae ad cultum corporum, ad domos aedificandas et exornandas, ad luxum mensae pertinent quaeque inter se cohaereant minime necesse est, non satis plane distinguantur; ad magnitudinem imprimis mensae luxus cetera genera referri solent. Denique saepissime accidit, ut e vitae licentia libidinibusque modo principis (memineris velim Neronis aut Caligulae) modo hominis imprimis luxuriosi (Apicii, Sp. Anii, Hostii luxuria ante oculos mihi obversatur) omnium eius aequalium luxuria colligatur.

Sed satis multa verba fecisse mihi videor, ut appareat, unde etiam hac aetate de luxuria Romanorum Caesarum temporibus tot errores longe hateque diffundantur et tam variae discrepantesque inter se opiniones circumferantur. Nam cum alii, inter quos Goethe, luxuriam Romanorum immoderatam atque etiam absurdam existimeverint, alii, sicuti Gibbon, H. Schiller, Friedlaender, melius fecerunt iudicium. Indicent igitur, prout suum quemque indicium fert, nemo certe invenitur, qui, si damna quaedam et vitia, quae videlicet luxuriam secuta

---

[7] cf. nat. hist. 19, 55.
[8] Hor. carm. IV, 15, 15—16.
[9] lib. XXXIX, 6, 5.
[10] Columella X, praef. 2.
[11] Darstellungen III, pag. 21.

sunt, omittat, non modo ad aequales, sed etiam ad posteros e luxuria fructus redundasse neget quam maximos. Hoc loco afferantur velim duae sententiae, quae fructus illos amplectuntur quibusque assentiri neminem dubitare puto. Hermanni Schiller, qui res Romanas Neronis actate uberrime narravit, huiusmodi est sententia:[12] .... Über den Schattenseiten dürfen die Lichtseiten nicht vergessen werden, der Lebensgenuß wurde feiner, der Wohlstand und die Behäbigkeit des Lebens allgemeiner, die Rücksicht auf die Gesundheitspflege größer. Alle Schichten der Bevölkerung führten ein würdigeres Dasein als in der guten alten Zeit. .... Neque aliter iudicat Friedlaender:[13] .... Ihr Luxus hat auch gar Manches hervorgebracht, was (zum Teil in verkümmerter Gestalt) in späteren Jahrhunderten fortgewirkt und das Dasein in unserem Weltteil menschenwürdiger gemacht hat; ja die damalige Menschheit hat manches Gut besessen, dessen spätere Wiedererlangung noch in unserem Jahrhundert hoch angeschlagen oder gar ernst angestrebt wird.

Sed priusquam quae Seneca philosophus eiusque pater de luxuria illius aetatis tradiderit exponamus, de corum aetate ipsa pauca referre in animo habemus. Si ulla unquam aetas vituperatione aequalium digna erat, dubium non est, quin qua Seneca philosophus fuit aetas vituperationem optimi cuiusque subire debuerit quam maximam. Incidit enim Senecae vita in tempora civitatis Romanae infelicissima, quibus Romani a pristinis virtutibus magis magisque desciverunt. Nam immensis quas supra commemoravimus divitiis primum ad luxuriam pellecti sunt Romani. Petulantia, libido, avaritia, cetera quae e luxuria erumpere solent vitia inde exorta sunt et tantum aberat, ut proxima aetate haec imminuerentur, ut ad summum pervenirent fastigium. Qui Augustum secuti sunt imperatores cum a bonis sese amari nequaquam exspectare possent, pessimi cuiusque animum sibi conciliare studebant inprimisque civitatis sentinam antea iam quibusvis vitiis ac sceleribus imbutam variis desidiae atque cupiditatum adminiculis sibi devincire volebant. Quo pacto Romani ab antiqua virtute tantum degeneraverunt, ut Claudii atque Neronis temporibus praeter luxuriam, ignaviam, libidinem ceteraque quibus deteriores inprimis laborabant vitia etiam in summis qui tum Romae fuerunt viris pro antiqua nobilitate humilitas, vafritia[14] pro antiqua simplicitate, pro antiqua gravitate adulatio inveniretur humillima. Seneca quidem philosophus vitia et luxuriam aetatis suae non oratione perpetua tractavit neque uno opere complexus est, sed passim omnibus operibus immiscuit his de rebus tam multa tamque gravia, ut iam ab antiquis „morum vitiorumque publicorum et descriptor verissimus et accusator acerrimus,“ alio loco „egregius vitiorum insectator“ appellaretur. Et iure meritoque hoc ei inditum est cognomen; nam corruptam esse gentem humanam ac depravatam illis temporibus adeo non negavit philosophus, ut nemo fere magis vitia flagitiaque aetatis suae castigarit atque ad mores emendandos omnem converterit philosophiam. Nec facile quemquam illa omnium pravitas praeterire poterat, praesertim cum temporum morumque querellae aetate illa

---

[12] Gesch. d. röm. Kaiserz. I, pag. 432.
[13] Darstell. III, pag. 137.
[14] cf. Sen. epist. 49, 7.

perditissima omnium bonorum in ore fuisse videantur. „Nec est," inquit Seneca philosophus, „quod hanc nostram tantum murmurationem putes pro pessimo pravoque numerantium quicquid citra recti formulam cecidit. Ecce nescio qui non ex philosophorum domo clamat, ex medio conventu populos gentesque damnatura vox mittitur." [15])

Hac de causa et quoniam apud Senecam rhetorem, a quo, ut Carolus Preisendanz nuper docere studuit,[16]) Seneca philosophus pendere videtur, aliquot inveniuntur loci, quibus vitia illa illustrentur, iuvat colligere ex utriusque scriptis quidquid ad luxuriam illius aetatis pertineat. Atque cum cogitarem quae tandem optima esset ratio materiae tractandae et digerendae, nullum alium ordinem observare constitui, quem Seneca philosophus ipse luxuriam apud Romanos secutam esse hisce verbis mihi videtur indicare:[17]) „Ubi luxuriam late felicitas dedit, cultus primum corporum esse diligentior incipit. Deindo supellectili laboratur. Deinde in ipsas domos impenditur cura, ut in laxitatem ruris excurrant, ut parietes advectis trans maria marmoribus fulgeant, ut tecta varientur auro, ut lacunaribus pavimentorum respondeat nitor. Deindc ad cenas lautitia transfertur et illic commendatio ex novitate et soliti ordinis commutatione captatur, ut ea, quae includere solent cenam, prima ponantur, ut, quae advenientibus dabantur, exeuntibus dentur."

Primum igitur videtur mihi de luxuria, quae ad cultum corporum, deinde quae ad domos aedificandas et exornandas pertinet, tum de luxu mensae esse dicendum; denique adiungetur quaestio, quid his de rebus censuerit Seneca philosophus.

I. De luxuria, quae ad cultum corporis pertinet.

Quo tempore Romani clarissimas pepererunt victorias, populus victor nondum ita erat eruditus, exercitationibus operibusque ingenii nondum ita excultus nec scientiis utilibus nec bonis vitae rationibus ita instructus, ut vitiis flagitiisque gentium, quas in dicionem suam potestatemque redegerat, posset obsistere. Quas bellis Asiaticis corripuerant divitiis copia Romanis data est novis illis libidinibus facile serviendi. Sed ea quoque populi Romani pars quae neque in Graecia neque Asia aut Africa pugnaverat, diripuerat, vixerat molliter ac delicate itaque „a multis ad luxuriam invitamentis" incolnmis manserat, mox sceleribus innumerabilium advenarum, qui sive capti Romam abripiebantur sive „iactati variis casibus" in Urbem veniebant, contaminata est. Facta est „princeps urbium" sedes omnium scelerum vitiorumque totius terrarum „orbis triumphati". Etenim quidquid perniciosi ad luxuriam Romanos alliciebat, e civitatibus subactis Romanis poterat suppeditari.

Atque primum omnium, ut Seneca phil. ipse ait, ubi luxuriam late felicitas fudit, cultus corporum diligentior esse coepit. Ex Senecae phil.

[15]) Sen. de benef. V, 15, 2.
[16]) Philologus LXVII (1908).
[17]) Ep. 114, 9.

eiusque patris operibus Iiae de re quae possunt cognosci quamvis pauca
sint, tamen fuelle nobis proponere licet, „quo usque luxuria hoc in ´genere
profecerit.[18])

Ut inde oratio mea proficiscatur, ab utroque auctore impetus fit in
adulescentes, qui mulierum mollitiem imitari student. Duobus locis Seneca
rhetor adulescentium effeminatorum illius aetatis specimen uberrime depingit,
primum in contr. lib. H., 1, 6: madentem unguentis externis, convulneratum
libidinibus, incedentem, ut feminis placeat, femina mollius et cetera quae
morbi, non indicis sunt; deinde in contr. l., praef. 8: torpent ingenia
desidiosae inventutis nec in unius honestae rei labore vigilatur; somnus
languorque ac somno et languore turpior malarum rerum industria invasit
animos, cantandi saltandique obscena studia effeminatos tenent (et) capillum
et ad muliebres blanditias extenuare vocem, mollitia corporis certare cum
feminis et immundissimis se expolire munditiis nostrorum adulescentium
specimen est.

Audiamus nunc Senecam phil., qui non solum eandem protulit hac de
re sententiam, sed etiam iisdem fere verbis usus est quibus pater eius.
Evolve, quaeso, natur. quaest. lib. VII., 31, 2: „muliebres munditias ante-
cessimus. colores meretricios matronis quidem non induendos viri sumimus.
tenero et molli incessu suspendimus gradum: non ambulamus, sed incedimus",
aut de tranquil. anim. librum c. 17, 4: „Scipio triumphale illud ac militare
corpus movit ad numeros, non molliter se infringens, ut nunc mos est etiam
incessu ipso ultra muliebrem mollitiam fluentibus." Confer sis etiam ep. 114, 3:
„si ille effeminatus est, in ipso incessu apparero mollitiam?" Quid? quod
non modo mollitiam muliebrem, quantum attinet ad incessum, ut imitarentur
operam dabant tum adulescentes, sed etiam totum habitum muliebrem vesti-
tumque. Seneca rhetor in exc. contr. V., 6 eiusmodi adulescentem describit
hisce verbis: muliebrem vestem sumpsit, capillos in feminae habitum com-
posuit, oculos puellari lenocinio circumdedit, coloravit genas etc.

Nonne in eandem sententiam dicit Seneca philosophus contra naturam
vivere eos, qui commutent cum feminis vestem?[19]) Exprobrat adulescentibus
philosophus, quod magis de capitis sui decore quam de salute patriae solliciti
sint. Quid, inquit, illos otiosos vocas, quibus apud tonsorem multae horae
transmittuntur, dum decerpitur, si quid proxima nocte succrevit, dum de
singulis capillis in consilium itur, dum aut disiecta coma destituitur aut
delicieus hinc atque illinc in frontem compellitur? quomodo irascuntur, si
tonsor paulo neglegentior fuit, tamquam virum tonderet? quomodo oxean-
descunt, si quid ex iuba sua decisum est, si quid extra ordinem iacuit, nisi
omnia in anulos suos recciderunt? quis est istorum, qui non malit, em
publicam suam turbari quam comam? qui non sollicitior sit de capitis sui
decore quam de salute? qui non comptior esse malit quam honestior? hos
tu otiosos vocas inter pectinem speculumque occupatos? (de brev. vit. 12, 3.)

[18]) contr. II, 14, 4.
[19]) ep. 122, 7.

Seneca phil., ut instituta aetatis suae _{cum} antiquis solet. còmponere, ita
praedicat antiquos illos viros, satis nitidos, si squalorem - opere collēctum
adverso flumine eluerant. (nat. quaest. I, 17, 7.) In cultu barbae adulescentes
Romani Senecae temporibus imprimis operam videntur consumpsisse, ut
apparet ex ep. 114, 21: „Quot vides istos ˉsequi, qui aut vellunt barbam
aut intervellunt, qui labra pressins tondent et abradunt servata et submissa
cetera parte, ..."

At quis mirabitur adeo effeminatos fuisseˉ adulescentes illa actate, si
audiet iam a pueris ad luxuriam ipsam eos educatos esse? Adulescentem
quendam luxuriosum Seneca rhet. querentem inducit, quod „a patre ad
luxuriam praemissus sit" (exc. contr. II., 6). „Nam," ut ait filius, „non sub
severa fui disciplina, non sub bene institutae domus lege, quae posset adulescentis formare mores et a vitiis ˋabducere; quodam modo ad luxuriam a
patre praemissus sum." Patrem quendam, qui amissis tribus liberis, cum
adsideret sepulcro, ab adulescente luxurioso in vicinos hortos abducitur, cum
alia tum haec apud indices indicantem audimus de isto homine: „proiectus
in omnia gulae libidinisque flagitia saeculo praecepta componit". (Sen. exc.
contr. IV, 1). Quin Seneca phil. talium adulescentium educationem ante
oculos habuerit, mea quidem sententia ambigi nequit, cum scriberet: „Educatio
maximam diligentiam plurimumque profuturam desiderat. Facile est enim
teneros adhuc animos componere, difficulter reciduntur vitia, quae nobiscum
creverunt." (De ira II, 18, 2.)

Ut Apicius, qui popinae disciplinam tum Romae- profitebatur,[20]) omnes
aequales helluatione superavit, ita erat praeter ceteros nota mollitia M a e c e -
n a t i s, Augusti amici et maximi illius litterarum fautoris, ad cuius exemplum
omnes tum iuvenes videntur se conformasse. Is enim docuit invenes istos
„comptulos", ut ait Seneca,[21]) barba et coma nitidos, de capsula totos",
quomodo se expolirent, vestirentur, se gererent, habitarent, ut aliorum ˋinvi-
diam talis „bracteatae ˣ22]) felicitatis excitarent. Magni ingenii vir fuiset
Maecenas, — quis est qui dubitet, quin philosophus reete iudicaverit? —
nisi proposuisset sibi et inde maximam capere laudem studuisset, etiam
mollior videri quam re vera erat, „nisi felicitas eum enervasset, immo
castrasset." (ep. 19, 9.)

Constat enim Maecenatem imprimis degisse deliciis et vitae lautiori
fuisse deditum. Seneca phil. de vita eius uberrime disputavit ep. 114, 4—7.
„Quomodo," inquit, „Maecenas vixerit, notins est quam ut narrari nunc debeat,
quomodo ambulaverit, quam delicatus fuerit, quam cupierit videri, quam vitia
sua latere noluerit. Quid ergo? non oratio eius aeque soluta est quam ipse
discinctus? non tam insignita illius verba sunt quam cultus, quam comitatus,
quam domus, quam uxor?. . . . Nón statim, cum haec legeris, hoc tibi occurret,
hune esse, qui solutis tunicis in urbe semper incesserit? nam etiam cum

---

[20]) cf. ad Helv. 10, 8.
[21]) ep. 115, 2.
[22]) ep. 115, 9.

absentis Caesaris partibus fungeretur, signum a discincto petebatur: hunc esse, qui in tribunali, in rostris, in omni publico coetu sic apparuerit, ut pallio velaretur caput exclusis utrimque auribus, non aliter quam in mimo divites fugitivi solent: hunc esse, cui tunc maxime civilibus bellis strepentibus et sollicita urbe et armata comitatus hic fuerit in publico, spadones duo, magis tamen viri quam ipse: hunc esse, qui uxorem miliens duxit, cum unam habuerit. Haec verba tam improbe structa, tam neglegenter abiecta, tam contra consuetudinem omnium posita ostendunt mores quoque non minus, novos et pravos et singulares fuisse."

Neque vero in potentia opibusque, quas ab Augusto meritorum praemium acceperat, Maecenas acquiescebat neque in tot libidinibus voluptatibusque, sed „amoribus anxius et morosae uxoris cotidiana repudia deflens somnum per symphoniarum cantum ex longinquo lene resonantium quaerebat"; mero, inquit, se licet sopiat et aquarum fragoribus avocet et mille voluptatibus mentem anxiam fallat, tam vigilabit in pluma quam ille in cruce. (Dial. I, 3, 10.)

Atque nonne inde maxima Maecenatis mollitia et summus vivendi amor potest intellegi, quod votum illud turpissimum Maecenatis fuisse traditur, quo „et debilitatem non recusat et deformitatem et novissime acutam crucem, dummodo inter haec mala spiritus prorogetur:

Debilem faeito manu,
debilem pede, coxa,
tuber adstrue, gibberum,
lubricos quate dentes:
vita dum superest, bene est.
hanc mihi, vel acuta
si sedeam cruce, sustine? (ep. 101, 10—11.)

Quae cum ita essent, facile evenire poterat, ut adulescentibus qui Maecenatem ad imitandum sibi proposuerunt, ad omnes corporis sui habitus intellegendos tamquam indice opus esset. Quanta eos fuisse mollitia arbitramur, si, quando natare, quando lavari deberent, quando cenare, ab alio admonendi erant. „Usque eo," inquit[23] Seneca phil., „nimio delicati animi languore solvuntur, ut per se scire non possint, an esuriant." Eodem loco affert luculentum exemplum mollitiae huiusmodi adulescentis: „Audio," inquit, „quendam ex delicatis, si modo deliciae vocandae sunt vitam et consuetudinem humanam dediscere, cum ex balneo inter manus elatus et in sella positus esset, dixisse interrogando: „iam sedeo?" Hunc tu ignorantem, an sedeat, putas scire an vivat, an videat, an otiosus sit?"

Mulieres Romanas viris luxuria, quae ad cultum corporum pertinet, longe praestitisse manifestum est, quoniam hoc studium mulierum proprium est. Quo diutius pulchritudinem et vigorem virginum sibi servarent, graviditatem et puerperium vitare studuisse, persaepe „spes iam conceptas liberorum" elidendas curasse (cf. ad Helv. 16, 3).

---

[23] de brev. vit. 12, 6—7.

Sed priusquam primum hoc opusculi mei caput concludam, mihi quaedam dicenda sunt de usu gemmarum margaritarumque illa aetate. Paucis e locis, quibus uterque Seneca hac de re disputat, cognosci licet et hoc in genere mulieres et viros inter se certasse. Margaritas Alexandria in dicionem Romanorum redacta in promiscuum ac frequentem usum venisse Plinius tradidit.[24]) Juvenes, qui — ut ait philosophus — muliebres munditias ante-cesserunt, digitos anulis exornabant, in omni articulo gemmas disponebant.[25]) Cum antea mulieres „uniones singulos singulis auribus comparatos" tulerint, iam, inquit phil., exercitatae aures oneri ferendo sunt; iunguntur inter se et insuper alii binis superponuntur. Non satis muliebris insania viros superiecerat, nisi bina ac terna patrimonia auribus singulis pependissent (de benef. VII, 9, 4). Helviae matri summam tribuit laudem philosophus, quod nec gemmae nec margaritae eam flexerint (ad Helv. 16, 3). In „de remediis fortuitorum" libro cap. 16, 7 cuidam, qui „bonam amisit uxorem", hoc datur consilium: „Duc bene institutam nec maternis inquinatam vitiis, non cuius articulis utrimque patrimonia bina dependeant, non quam margaritae suffocent, non cui minus sit in dote quam in veste . . . . ."

Simili modo Seneca rhetor inducit quendam causam pro muliere dicentem et haec interrogantem: „Quid est, quare uxorem dimiseris? numquid gemmas et ex alieno litore petitos lapillos concupivit? (contr. II, 13, 7).

II. De luxuria, quae ad domos aedificandas et exornandas pertinet.

„Odit populus Romanus privatam luxuriam, publicam magnificentiam diligit." His verbis Cicero [26]) studium Romanorum aetatis suae praeclare atque recte adumbravit in domibus aedificandis atque exornandis extra omnem modum sumptu et magnificentia prodire.[27]) Omnes fere et eius quam tractamus aetatis scriptores profundunt se in questus, quod luxuria hoc in genere magis magisque proficiat. Ne in re nota et pervulgata multus sim, duos tantum auctores hic audiamus! Plinius quidem haec: . . . . . computet in hac aesti-matione qui volet marmorum molem, opera pictorum, impendia regalia et cum pulcherrima laudatissimaque certantes centum domus posteaque ab innumera-bilibus aliis in hunc diem vietas profecto incendia puniunt luxum, nec tamen effici potest, ut mores aliquid ipso homine mortalius esse intellegant (nat. hist. 36, 110). Horatius queritur, quod aequales ingentes exstruant moles et omnia, quae ad voluptatem spectent, sibi apparent (carm. II, 15).

Illis temporibus iam magnum — ne dicam ingentem — numerum do-morum et carum magnificentissimarum villarumque et Romae et in Italia fuisse facile suspicari possumus. Atque quanta fuerint amplitudine. licet id quod uterque Seneca hac de re tradidit incredibile fere videatur, tamen e

---

[24]) nat. hist. 9, 123.
[25]) nat. quaest. VII, 31, 2.
[26]) Cic. or. pro Mur. 76.
[27]) Cic. de off. I, 140.

congruentibus testimoniis utriusque auctoris et aliorum, qui ea fuerunt aetate,
concludi posse putamus domos nobilium tum tanta fuisse amplitudine, quanta
hac quidem aetate admirationi esse queat. Seneca phil. persaepe domos
nobilium cum magnis urbibus confert. Huc pertinet ep. 90, 12: „non habebant
(sc. maiores) domos instar urbium" aut de benef. VII, 10: „aedificia privata
laxitatem urbium magnarum vincentia." Confer sis locum supra commemoratum
(ep. 114), ubi dicit phil. „in laxitatem ruris excurrere domos."

Atque etiam tam altas quam amplas fuisse aedes cognoscimus e contr.
libro II, 1, 11: „quas (sc. aedes) in tantum exstruxere, ut [cum] domus ad
usum ac munimentum paratae sint nunc periculo, non praesidio: tanta altitudo
aedificiorum tantaeque viarum angustiae, ut neque adversus ignem praesidium
nec ex ruinis ullam in partem effugium sit," porro ex exc. contr. V, 5:
„excitati in immensam altitudinem parietes lucem non impediunt?"

Domos tum permulta cubicula et ea cultu insignia continuisse et per se
intellegitur et philosophus docet.[28]) Ab utroque tamquam maximum „luxuriae
commentum" copiose disputatur morem fuisse „in summis domorum culminibus
mentita nemora et navigabilium piscinarum freta alere" (contr. V, 5). Non-
vivunt, inquit phil., contra naturam, qui pomaria in summis turribus serunt?
quorum silvae in tectis domuum ac fastigiis nutant, inde ortis radicibus, quo
improbe cacumina egissent?

Amplitudini et magnitudini domorum conveniebat praestantia materiae,
ex qua exstructae erant. Tecta auro variabantur („infusum tectis aurum"
contr. II, 1, 12), parietes marmoribus, qua etiam ex Alexandria et Numidia
advehebantur, fulgebant, lacunaribus pavimentorum tessellatorum[29]) respon-
debat nitor.[30]) „Ad delicias," inquit rhetor, dementis luxuriae lapis omnis
eruitur, caeduntur ubique gentium silvae; acris ferrique usus, iam auri quoque
in exstruendis et decorandis domibus" (contr. II, 1, 12). Pauperem sibi videri
ac sordidum philosophus ait, nisi parietes magnis et pretiosis orbibus reful-
serunt, nisi Alexandrina marmora Numidicis crustis distincta sunt, nisi illis
undique operosa et in picturae modum variata circumlitio praetexitur; ....
„eo — ita pergit Seneca — deliciarum venimus, ut nisi gemmas calcare
velimus."[31]) Totum hoc luxuriae genus summatim exponit Seneca phil.
ep. 90, 25: „quid loquar marmora, quibus templa, quibus domus fulgent?
quid lapideas moles in rotundum ac leve formatas, quibus porticus et capacia
populorum teeta suscipimus?" Non omitto amplitudinem illam domorum et
altitudinem persaepe earum ruinae causam fuisse, si tecum reputas, qua
celeritate domus aedificatae sint.

Quantopere cura animos divitum sollicitaverit anxeritque, ne domus daret
ruinam, summo colore uterque illustrat. Rhetor quidem hunc in modum: nempe
ut anxii et interdiu et nocte ruinam ignemque metuant, qui sive tectis iniectus
est fortuitus, laquearia et tablina illa urbium excidia sunt (contr. II, 1, 12).

---

[28]) cf. 89, 21: quid prosunt multa cubicula? in uno iacetis?
[29]) cf. controv. II, 1, 11.
[30]) cf. ep. 114, 9.
[31]) ep. 86, 6.

„At vos," inquit philosophus, „ad omnem tectorum pavetis sonum et inter picturas si quid increpuit, fugitis attoniti." (ep. 90, 43).

Haud minus amplae aut mirabilius magnificentiusque quam aedes urbium ornatae erant villae, quas ditissimus quisque illa aetate plures habebat atque eas in variis Italiae regionibus. „Quousque," inquit Seneca phil., „nullus erit lacus, cui non villarum vestrarum fastigia immineant, nullum flumen, cuius non ripas aedificia vestra praetexant? ubicumque scatebunt aquarum calentium venae, ibi nova diversoria luxuriae excitabuntur. ubicumque in aliquem sinum litus curvabitur, vos protinus fundamenta facietis nec contenti solo, nisi quod manu feceritis, mare agetis introrsus. omnibus licet locis tecta vestra resplendeant, aliubi imposita montibus in vastum terrarum marisque prospectum, aliubi ex plano in altitudinem montium educta" (ep. 89, 21). Nonne eodem redit Seneca rhetoris testimonium: maria proiectis molibus submoventur (exc. contr. V, 6)?

In villis autem magnam dabant operam Romani, ut balnea quam magnificentissime exornarent. Balnea olim nullo cultu praedita illa aetate non modo e pretiosissimis aedificabantur lapidibus (solum tesellis sterne-bâtur[32]), pulcherrimis columnis statuisque ornabantur, sed etiam thermarum fundamenta mirum in modum ita in mari iaciebantur, ut corpus lavantibus ex solio „agros et maria prospicere" liceret. Praeclare id Seneca phil. describit ep. 86, 7: „Quid cum ad balnea libertinorum pervenero? quantum statuarum, quantum columnarum est nihil sustinentium, sed in ornamentum positarum impensae causa! quantum aquarum per gradus cum fragore laben-tium! .... In hoc balneo Scipionis minimae sunt rimae magis quam fenestrae muro lapideo exsectae, ut sine iniuria munimenti lumen admitterent: at nunc blattaria vocant balnea, si qua non ita aptata sunt, ut totius diei solem fenestris amplissimis recipiant, nisi et lavantur simul et colorantur, nisi ex solio agros et maria prospiciunt." Thermarum fundamenta in mari iacta esse testatur phil. ep. 122, 8. „Non vivunt," inquit, „contra naturam, qui funda-menta thermarum in mari iaciunt nec delicate natare ipsis videntur, nisi calentia stagna fluctu ac tempestate feriantur?"

III. De luxu mensae.

Victoria apud Actium parta helluationem nova quaedam et prorsus inaudita cepisse incrementa Tacitus auctor est. Magnitudo illa paene incredibilis helluationis Romanorum illius aetatis ex iis potissimum locis cognosci potest, quibus Seneca phil. commemorat, quanti steterint illis temporibus convivia seu a principe seu ab hominibus privatis instructa. Philosophi aetate fuisse mos videtur, ut quicumque munere publico fungi coeperunt „cenas aditiales" instruerent, quae tricies *HS* frugalissimis viris constiterunt.[33] Cenae equestrem censum consumentis Seneca eodem loco facit mentionem.

---

[32] nat. quaest. 6, 31, 3.
[33] ep. 95, 41.

Facile cogitare possumus eos qui summae sibi laudi verterunt alios helluatione et magnificentia cenarum superare quibusque — ut ait philosophus — peccandi praemium infamia erat (ep. 122, 18), etiam multo plus consumpsisse. Nemo profecto luxuria par esse potuit imperatori Caligulae aut Apicio illi, „nepotum omnium altissimo gurgiti“. (Plin. nat. hist. 48, 64.)

C. Caesarem Augustem omnium prodigorum ingenia superavisse, commentum novum balneorum usum, portentosissima genera ciborum atque cenarum Suetonius memoriae prodit. Testis est etiam hic Seneca, e cuius scriptis cognoscimus Augustum centies sestertio cenasse uno die. „C. Caesar Augustus, quem mihi videtur rerum natura edidisse, ut ostenderet, quid summa vitia in summa fortuna possent, centies sestertio cenavit uno die. et in hoc omnium adiutus ingenio vix tamen invenit, quomodo trium provinciarum tributum una cena fieret.“ (ad Helv. 10, 4.) Praeter eum A p i c i u s, quem infra iterum commemorabo, omnibus nepotibus videtur praestitisse; nam sestertium milies in culinam eum coniecisse, tot congiaria principum et ingens Capitolii vectigal singulis commissationibus exsorpsisse apud Senecam scriptum legimus. (ad Helv. 10, 9.) Quantopere sapor istius nepotis tum in ore omnium fuerit, declarat phil. ep 95, 42, ubi Octavium quendam ingentem inter suos gloriam ideo consecutum esse videmus, quod piscem quinque sestertiis emisset, quem Caesar vendiderat, A p i c i u s ipse non emerat.

Requiretur fortasse nunc, cur tum ipsum tanti stare coeperint convivia. Minime vero contenti erant qui ea aetate erant nepotes iis quae Italiae silvae et agri, flumina et maria suppeditabant gulae irritamentis, sed luxuria, terrarum marisque vastatrix, tam invidiosi imperii fines transcendit.[24] Hisce verbis Senecam philosophum id querentem audimus: „Non est necesse omne perscrutari profundum nec strage animalium ventrem onerare nec conchylia ultimi maris ex ignoto litore eruere; . . . . . ultra Phasim capi volunt, quod ambitiosam popinam instruat, nec piget a Parthis, a quibus nondum poenas repetiimus, aves petere. undique [rarissima quaeque] convehunt omnia nota fastidienti gulae. quod dissolutus deliciis stomachus vix admittat, ab ultimo portatur Oceano.“ (ad Helv. 10, 2—3.)

Quin luxuriae suae satisfacerent, istos nihil omisisse apparet ex ep. 89, 22. „Quorum,“ inquit philosophus l. c., profunda et insatiabilis gula hinc maria scrutatur, hinc terras. alia hamis, alia laqueis, alia retium variis generibus cum magno labore persequitur. nullis animalibus nisi ex fastidio pax est.“ Neque vero eo consilio per omnes terras omniaque maria „gustus elementa“[25] quaeri iusserunt, suis ipsorum mensis digni ut conquirerentur cibi, sed — quod tum summae erat luxuriae — operam dabant, ut iis, quos invitaverunt ad cenam, cibi apponerentur quam rarissimi et exquisitissimi. „Pretiosos autem (sc. cibos) non eximius sapor aut aliqua faucium dulcedo, sed raritas et difficultas parandi facit.“ (ad Helv. 10, 5.) Etenim id potissimum videntur

[24] cf. ep. 95, 19 et ad Helv. 10, 2.
[25] cf. Juv. XI, 14 (Hermann).

egisse tum homines luxuriosi, ut „vita eorum esset in sermonibus." (ep. 122, 14); si tacetur, inquit Seneca, perdere se putant operam.

Ex quo tempore luxuria ex Asia Romam importata cognitum est, coquendi quoque artem esse, coquus, ut ait Livius l. c., vilissimum antiquis mancipium et aestimatione et usu, in pretio esse coepit. A Seneca philosopho complures commemorantur, qui illa aetate Romae „scientiam popinae profite-bantur";[36]) quos culinariae artis magistros permultos secutos esse discipulos credimus libenter. „Liberalia," inquit, „professi sine ulla frequentia desertis angulis praesident. In rhetorum et philosophorum scholis solitudo est. At quam celebres culinae sunt, quanta circa nepotum focos iuventus premitur!"[37]) Apicio illi phil. crimini dat, quod disciplina sua saeculum infecerit et civitatem in luxuriam converterit. Inspicias velim iterum dial. XII. „ad Helviam matrem de consolatione" 10, 8 sq.: . . . . quam Apicius nostra memoria vixit, qui in ea urbe, ex qua aliquando philosophi velut corruptores inven-tutis abire iussi sunt, scientiam popinae professus disciplina sua saeculum infecit . . . . . cum immensis epulis non delectaretur tantum, sed gloriaretur, cum vitia sua ostentaret, cum civitatem in luxuriam suam converteret, cum inventutem ad imitationem sui sollicitarent, etiam sine malis exemplis per se docilem."

Nepotes isti, quos ad Apicii exemplum se conformasse putamus, epulas magnificentius instruxerunt quam unquam antea, in quibus quaevis corporis voluptas et titillatio sensuum omnium, aurium, oculorum, palati, narium, expleri posset. Cuius rei testimonio est de vit. beat. 11, 4: „Aspice Nomentanum et Apicium, terrarum et maris, ut isti vocant, bona conquirentes et super mensam recognoscentes omnium gentium animalia, vide hos eosdem e successuro exspectantis popinam suam, aures vocum sono, spectaculis oculos, saporibus palatum suum delectantes. Mollibus lenibusque fomentis totum lacessitur eorum corpus et ne nares interim cessent, odoribus variis inficitur locus ipse, in quo luxuriae parentatur."

Ostentationis nimirum causa magnum agmen servorum nitentium (cf. de tranquil. vit. 1, 8) et „ministratorum, per quos signo dato ad inferendam cenam discurrebatur" nepotibus illis erat. Servi erant per nationes coloresque descripti, ut eadem omnibus levitas esset, eadem primae mensura lanuginis, eadem species capillorum, ne quis, cui rectior esset coma, crispulis misce-retur. (ep. 95, 24.) Inter haec „agmina exoletorum" uni alterive id quoque mandatum erat, ut quos saporem domini excitare scirent cibos apponerent.

„Adice," inquit Seneca, „obsonatores, quibus dominici palati notitia sub-tilis est, qui sciunt, cuius illum rei sapor excitet, cuius delectet adspectus, cuius novitate nausiabundus erigi possit, quid iam ipsa satietate fastidiat, quid illo die esuriat." (ep. 47, 8.) Suum cuique munus servo inter cenam munus fuisse docet eodem loco phil. „Cum ad cenandum discubuimus, alius sputa deterget, alius reliquias temulentorum subditus colligit. alius pretiosas

---

[36]) ad. Helv. 10, 8.
[37]) ep. 95, 23.

aves scindit: per pectus et clunes certis ductibus circumferens eruditam manum frusta excutit; . . . alius vini minister in muliebrem modum ornatus cum aetate luctatur: non potest effugere pueritiam . . . . alius, cui convivarum censura permissa est, perstat infelix et exspectat, quos adulatio et intemperantia aut gulae aut linguae revocet in crastinum." Servi si quid inter hos „labores" neglexerunt, si non muti et sobrii totam per noctem numere fungebantur, verberibus castigabantur acerrimis. „At infelicibus servis movere labra ne in hoc quidem, ut loquantur, licet. virga murmur omne compescitur et ne fortuita quidem verberibus excepta sunt, tussis, sternumenta, singultus." (ep. 47, 2.) Alio autem loco servos cognoscimus, quibus urbanitas quaedam vernacula erat, dominum eiusque convivas ludibrio habere potuisse. „Eadem causa est, cur nos mancipiorum nostrorum urbanitas in dominos contumeliosa delectet, quorum audacia ita demum sibi in convivas ius facit, si coepit a domino." (Dial. II, 11, 3.)

Sumptuose et monstruose ac nepotum Romanorum cuppediae earumque apparatus instruebantur tricliniā, ubi epulabantur. Neque enim satis habebant nobiles Romani illa aetate, si mensae, pocula, lecti torique e pretiosissimo efficta erant metallo aut lapide (aureos lectos et gemmeam supellectilem Sen. ep. 110, 12 et ep. 17, 12, pocula murrea ep. 119, 3 commemorat), si parietes et lacunaria marmoribus aut auro fulgebant (cf. ep. 90, 15: lacunaria auro gravia), sed in magnificentissime exornatis tricliniis multa inventa fuerunt, quibus etiam nostra aetate nescio quid par queat inveniri. „Versatilia enim," ut ait Seneca ep. 90, 15, „erant laquearia ita ut subinde alia facies atque alia succederet et totiens tecta quotiens fericula mutarentur."

Intra parietes latere fistulas cognoscimus, quibus in immensam altitudinem crocum exprimi poterat, quod — ut nos quidem credimus — tamquam pluvia tenuissima per omnes convivas effunderetur. „qui invenit, quemadmodum in immensam altitudinem crocum latentibus fistulis exprimat." (ep. 90, 15).

Nonne incredibile videtur, quod Seneca ep. 90, 15 et nat. quaest. lib. III, 17, 2 docet per triclinia euripos ductos esse, qui subito aquarum multitudine modo impleri poterant, modo siccari (cf. 90, 15); in hos euripos pisces iniciebantur, qui sub ipsa mensa capi et statim in cenam transferri poterant. „Quanto incredibiliora sunt opera luxuriae, quotiens naturam aut mentitur aut vincit? In cubili natant pisces[38]) et sub ipsa mensa capitur qui statim transferatur in mensam: parum videtur recens mullus, nisi qui in convivae manu moritur. vitreis ollis inclusi adferuntur et observatur morientium color, quem in multas mutationes mors luctante spiritu' vertit: alios necant in garo et condiunt vivos. Hi sunt qui fabulas putant, piscem posse vivere sub terra et effodi, non capi? quam incredibile eis videretur, si audirent natare in garo piscem nec cenae causa occidisse super cenam, cum multum in deliciis fuit et oculos ante quam gulam pavit. (nat. quaest. III, 17, 2.)

---

[38]) cf. nat. quaest. III, 18: ad hunc fastum pervenit venter delicatorum, ut gustare non possint piscem, nisi quem in ipso convivio natantem palpitantemque viderunt.

Quoniam. hoc maxime propositum erat hominibus istis luxuriosis, „gaudere perversis, nec tantum discedere a recto, sed quam longissime abire,
deinde etiam e contrario stare,“ (ep. 122, 5), dormiebant per totum diem,
ut cenare possent per totam noctem cenasque usque in diem perducere
(cf. nat. quaest. IV, 13, 6). „Turpis est,“ inquit phil. ep. 122, 1, 2, „qui
alto sole semisomnus iacet, cuius vigilia medio die incipit: et adhuc multis
hoc antelucanum est. Sunt qui officia lucis noctisque perverterint nec ante
diducant oculos hesterna graves crapula quam adpetere coepit . . . Sunt.
quidam in eadem urbe antipodes, qui, ut M. Cato ait, nec orientem unquam
solem viderunt nec occidentem.“ Atque ubi surrexerunt, iam ante cenam
multo vino solent inebriari. Taeterrimam hanc consuetudinem his verbis
descripsit philosophus: „Non videntur tibi contra naturam vivere, qui ieiuni
bibunt, qui vinum recipiunt inanibus venis et ad cibum ebrii transeunt? . . .
post prandium aut cenam bibere volgare est.“ (ep. 122, 6.)

Cum tempus cenandi appropinquaret, quam solliciti erant nepotes!
„Convivia horum,“ inquit Seneca, „mehercules non posuerim inter vacantia
tempora, cum videam, quam solliciti argentum ordinent, quam diligenter
exoletorum suorum tunicas succingant, quam suspensi sint, quomodo aper a
coco exeat, qua celeritate signo dato glabri ad ministeria discurrant, quanta
arte scindantur aves in frusta non enormia, quam curiose infelices pueruli
ebriorum sputa detergeant.“

Perpetua helluatione in corporibus eorum, qui illi dediti erant, aestum
quendam edacem excitatum esse hoc facile intellegi potest; quo factum est,
ut nepotibus nihil satis frigidum, nihil satis calidum videretur (cf. nat.
quaest. IV, 13, 10). Quocirca sui refrigerandi causa desiderabant — atque
id omnibus anni temporibus — nivatas potiones, quibus aestus ille frangeretur.
„Quamdiu,“ inquit Seneca, „sanus et salubris sibi capax stomachus est
impleturque, non premitur, naturalibus fomentis contentus est: ubi cotidianis
cruditatibus non temporis aestus, sed suos sentit, ubi ebrietas continua visceribus insedit et praecordia bile, in quam vertitur, torret, aliquid, necessario
quaeritur, quo aestus ille frangatur, qui ipsis aquis incalescit, remediis incitat
vitium. itamque non tantum aestate, sed media hieme nivem hac causa
bibunt.[39]) Ut cibi apponerentur calidissimi, foci ipsi in triclinia transfere-
bantur. „Hoc iam luxuria commenta est: ne quis intepescat cibus, ne quid
palato iam calloso parum ferveat, cenam culina prosequitur.“ (ep. 78, 23.)
Huc quoque pertinet ep. 95, 25: „quid? illa purulenta et quae tantum non
ab ipso igne in os transferuntur, iudicas sine noxa in ipsis visceribus
exstingui?“

Sed quoniam, quantum illa aetate profecerit ars culinaria, nonnullis
locis leviter attigi, decere puto hic omnia colligere quae Sen. hac de re
tradiderit. Mille condituras inventas esse, quibus aviditas excitaretur, docet
ep. 95, 15, concoqui in unum quoddam „minutal“ optima quaeque rerum ad
epulandum exquisitarum, quae uno iure perfusae apponerentur (ep. 95, 28).

---

[39]) nat. quaest. IV, 13, 5.

Meminisse se commemorat phil. fuisse quondam in sermone nobilem patinam, in quam quicquid apud lantos solet diem ducere, properans in damnum suum popina congesserat, veneriae spondylique et ostrea eatenus circumcisa, qua eduntur: intervenientibus distinguebantur echinis. totam torti destructique sine ullis ossibus mulli constraverant (ep. 95, 26). Huius rei causam inde repetendam esse asserit Seneca, quod iam pigeat nepotes esse singula; „coguntur in unum sapores. in cena fit, quod fieri debet saturo in ventre." (ep. 95, 27.)

Eodem loco nepotem quendam hisce verbis facit exclamantem: „grave est luxuriari per singula: omnia semel et in eundem saporem versa ponantur. quare ergo ad unam rem manum porrigam? plura veniant simul. multorum ferculorum ornamenta coeant et cohaereant."

Haec quidem de luxu mensae. Restat ut commemorem Senecae temporibus feminas quoque — quod a priscorum Romanorum moribus abhorruisse notum est — conviviis adfuisse virorumque licentiam aequiperasse. „Non minus," inquit phil., „pervigilant, non minus potant; . . . . libidine vero ne maribus quidem cedunt." (ep. 95, 21.)

IV. Seneca philosophus quid de luxuria censuerit.

Vel ex iis quos e Senecae dialogis et epistulis attulimus locis satis videtur apparere, quid de luxuria censuerit philosophus. Quid autem in universum his de rebus aestimaverit, exponere nunc est propositum meum. Seneca philosophus, utpote qui disciplinam Stoicam profiteretur, omnium malorum initium esse indulgere voluptati, quam quo melius fugiamus hortatur, ut „nobiscum dispiciamus, quid necessarium, quid supervacuum sit." (ep. 110, 11.) „Non est," inquit, „quod te nimis laudes, si contempseris aureos lectos et gemmeam supellectilem . . . . tunc te admirabor, si non contempseris etiam sordidum panem, si tibi persuaseris herbam, ubi necesse est, non pecori tantum, sed homini nasci, si scieris cacumina arborum explementum esse ventris, in quem sic pretiosa congerimus tamquam recepta servantem."

Qua de causa nihil magis moneri volebat philosophus, nisi ut ea semper nobis tenenda sit via, quam praescripsit natura; „illam sequentibus omnia facilia, expedita sunt. contra illam nitentibus non alia vita est quam contra aquam remigantibus"; [40] „nam cupidati nihil est satis, naturae satis est etiam parum." Magnam partem libertatis recte iudicat philosophus „bene moratum ventrem et contumeliac patientem" (ep. 123, 3) esse; „quidquid vult habere nemo potest: illud potest, nolle quod non habet, rebus oblatis hilaris uti."

Sicuti „omnia vitia contra naturam pugnare, omnia debitum ordinem deserere" docet, ita maxime abhorrere a natura luxuriam, praesertim cum „luxuriae propositum sit, gaudere perversis et discedere a recto" (ep. 122, 5); instituisse enim luxuriosos omnia contra naturae consuetudinem velle, in totum ab illa discedere (ep. 122, 9). Hanc pravitatem Seneca hunc in

---

[40]) ep. 122, 9.

modum illustravit: „Lucet (haec sunt verba hominis luxuriosi): somni tempus·
est. quies est, nunc exerceamur, nunc gestemur, nunc prandeamus, iam lux
propius accedit: tempus est cenae. Non oportet id facere, quod populus.
res sordida est trita ac volgari via vivere: dies publicus relin-
quatur: proprium nobis ac peculiare mane fiat.“ Tota fere epistula CXXII.
plena est criminum, quae obicit phil. hominibus luxuriae deditis, qui contra
naturam vivant (qui ad hanc rem pertinent locos alibi iam attulimus); appellat
istos omnium infelicissimos et „defunctorum loco“ eos ponit. (ep. 122, 10.)

Morem Stoicorum secutus omnem voluptatem „humilem rem et pusillam
esse censet, in nullo habendam pretio, communem cum multis animalibus,
ad quam minima et contemptissima advolent.“ (ep. 123, 16.) Non dubium
est, quin idem censuerit de luxuria.

Quoniam a pueritia usque ad senectutem moderate se vixisse confitetur
philosophus, magnificentiam „elegantiamque“[41]) cenarum permultis locis eum
castigare videmus. „Undique,“ inquit, „convehunt omnia nota fastidienti
gulae. Quod dissolutus deliciis stomachus vix admittat, ab ultimo portatur
Oceano; vomunt, ut edant, edunt, ut vomant. (ad Helv. 10, 3.) „Gulae ac
libidini addictos“ contemnit philosophus (cf. ep. 124, 3); quos commonet
Seneca l. c. verum bonum esse „intellegibile“; „quod autem hoc bonum?
dicam: liber animus, erectus, alia subiciens sibi, se nulli“ (ep. 124, 12).

Praeter „alieni cupidinem, ex qua omne malum oriatur,“ (de clem. II, 1, 4)
et avaritiam, „vehementissimam humani generis pestem“ (ad Helv. 13, 2),
omnis depravationis morum auctorem esse luxuriam; „avaritia
et luxuria dissociavere mortales et ad rapinam ex consortio discurrere.“
(ep. 90, 36.) Ex quo „a natura luxuria desciverat et animum corpori addixerat
et illius libidini deservire iusserat,“ omnia mala ac turpia per totum terrarum
orbem percrebruisse explicat Seneca ep. 90, 19; nam luxuria se ipsa incitat
et tot saeculis crescit et ingenio adiuvat vitia: primo supervacua coepit
concupiscere, inde contraria . . .“ (ep. 90, 19.)

Morum corruptionem ab aurea quae vocatur aetate per omnia
saecula longe lateque diffusam esse non praeteriit philosophum; quam ob
rem licet acerbissimis verbis aetatis suae vitia animadverterit, numquam
meliore locos mores fuisse concedit, immo vero omnia vitia in dies atque
magis magisque procedere et augeri. „Erras,“ inquit,[42]) „mi Lucili, si existimas
nostri saeculi esse vitium luxuriam et neglegentiam boni moris et alia
quae obiecit suis quisque temporibus: hominum sunt ista, non temporum.
nulla aetas vacavit a culpa.“

Persuasum est philosopho sicuti maiores et nos ita posteros de aetate
sua esse questuros. „Itaque sic finiamus, ne in nostro saeculo culpa subsidat.
Hoc maiores nostri questi sunt, hoc nos querimur, hoc posteri nostri querentur,
eversos mores, regnare nequitiam, in deterius res humanas et omne nefas
labi: at ista eodem stant loco stabuntque, paulum dumtaxat ultra aut citra

---

41) ep. 122, 18.
42) ep. 97, 1.

mota, ut fluctus quos aestus accedens longius extulit, recedens interiore litorum vestigio tenuit." (de benef. I, 10, 1.) Paulo post sic pergit: Non exspectant uno loco vitia, sed mobilia et inter se dissidentia tumultuantur, pellunt invicem fuganturque: ceterum idem semper de nobis pronuntiare debebimus, malos esse nos, malos fuisse, invitus adiciam et futuros esse." (de benef. I, 10, 3.)

Quae cum ita sint, philosophus licet aequales „nondum perfecisse, ut pessimi essent," concedat, tamen, ne vitia prorsus erumpant, commendat aequalibus innocentiam et temperantiam. „Temperantia[43]) voluptatibus imperat: alias odit atque abigit, alias dispensat et ad sanum modum redigit nec unquam ad illas propter ipsas venit. Scit optimum esse modum cupitorum non quantum velis, sed quantum debeas sumere." „His maxime diebus animo imperandum est, ut tunc voluptatibus solus abstineat, cum in illas omnis turba procubuit: certissimum [enim] argumentum firmitatis suae capit, si ad blanda et in luxuriam trahentia nec it nec abducitur. Hoc multo fortius est, ebrio ac vomitante populo siccum ac sobrium esse; illud temperatius, non excerpere se nec insigniri nec misceri omnibus et eadem, sed non eodem modo facere: licet enim sine luxuria agere festum diem." (ep. 18, 3—4.) Neque vero alios tantummodo incusavit philosophus; e numero „malorum" se ipsum non exemit. Confer sis „de ira" lib. III, 26, 4: omnes inconsulti et improvidi sumus, omnes incerti, queruli, ambitiosi. quid levioribus verbis ulcus publicum abscondo? omnes mali sumus: quicquid itaque in alio reprehenditur, id unusquisque in suo sinu inveniet."

*   *   *

Haec habui quae dicerem. Atque ut paucis repetam quod hac commentatione profecisse mihi videor, apparere puto Senecam philosophum ad mores emendandos omnem convertisse philosophiam. Licet in eo reprehendant, quod ipse non semper ad severa illa morum praecepta vitam suam instituerit (cogitent velim, qua aetate vixerit!), hoc profecto neminem negaturum esse spero alium quemquam luxuriam illius aetatis melius descripsisse aut acrius castigasse. (cf. Baumgarten, Seneca p. 65: Die entsetzlichen Ausbrüche der Sittenverderbnis in der römischen Welt unter den Cäsaren haben auch andere beschrieben, wenn freilich keiner mit so beharrlichem Ernst wie Seneca.)

Enumerantur quibus usus sum libri:

1. L. Annaei Senecae opera quae supersunt recognovit et rerum indicem locupletissimum adiecit Friedericus Haase, vol. I—III. Lipsiae 1853.

2. M. Annaei Senecae oratorum et rhetorum sententiae, divisiones, colores recognovit Adolphus Kiessling. Lipsiae 1872.

3. Hermann Schiller, „Geschichte der römischen Kaiserzeit." Bd. I, II.

---

[43]) ep. 88, 29.

4. Ludwig Friedlaender, „Darstellungen aus der Sittengeschichte Roms in der Zeit von August bis zum Ausgang der Antonine." 5. Auflage, 3. Teil, Leipzig 1881.

5. Franz D. Gerlach, „Über Senekas Stellung zu seinem Zeitalter." Historische Studien, Hamburg 1841.

6. Br. Bauer, „Das Zeitalter Neros und Senekas." Vierteljahrschrift für Volkswirtschaft, Politik und Kulturgeschichte, Bd. 45, 46.

7. Joachim Marquardt, „Das Privatleben der Römer." Teil I, II, Leipzig 1882.

8. Julius Jung, „Leben und Sitten der Römer in der Kaiserzeit." Prag 1883.

9. H. Lehmann, „L. Annaeus Seneca und seine philosophischen Schriften." Philologus VIII, 1853, p. 309 ff.

10. Michael Baumgarten, „L. Annaeus Seneca und das Christentum in der tief gesunkenen antiken Weltzeit." Rostock 1895.

Schulnachrichten.

A) Das Äußere der Schule.

I. Lehrpersonale.

A) Veränderungen.

I. Aus dem Lehrkörper schieden:

1. Emil Nowak, k. k. Professor, ernannt als k. k. Professor für die k. k. Staatsoberrealschule in Salzburg. K. k. Min. Erlaß vom 17. Juni 1911, Z. 17.833. (Int. mit dem k. k. L. S. R. Erlasse vom 4. Juli 1911, Z. 16.875.)

2. Alfons Tasser, k. k. Professor, ernannt als k. k. Professor für das k. k. Staatsobergymnasium in Trient (deutsche Abteilung). K. k. Min. Erlaß vom 29. August 1911, Z. 36.315. (Int. mit dem k. k. L. S. R. Erlasse vom 8. September 1911, Z. 23.673.)

3. Eduard Goldschmied und

4. Isidor Robitschek, israelitische Religionslehrer.

5. Otto Adamek, k. k. Professor, ernannt als k. k. Professor für die II. deutsche Staatsoberrealschule in Brünn. K. k. Min. Erlaß vom 21. Februar 1912, Z 56.013, ex 1911. (Int. mit dem k. k. L. S. R. Erlasse vom 9. März 1912, Z. 5886.)

II. In den Lehrkörper traten ein:

1. Rudolf Reich, k. k. suppl. Gymnasiallehrer am k. k. Staatsobergymnasium in Eger, ernannt zum k. k. wirklichen Gymnasiallehrer. K. k. Min. Erlaß vom 29. August 1911, Z. 36.315. (Int. mit dem k. k. L. S. R. Erlasse vom 8. September 1911, Z. 23.673.)

2. Franz Karollus, k. k. Professor an der k. k. Staatsoberrealschule in Triest, in gleicher Eigenschaft an die Anstalt versetzt. K. k. Min. Erlaß vom 29. August 1911, Z. 34.694. (Int. mit dem k. k. L. S. R. Erlasse vom 15. Oktober 1911, Z. 24.906.)

3. Heinrich Schwenger, Dr. phil., Rabbiner, bestellt zum israelitischen Religionslehrer mit dem k. k. L. S. R. Erlasse vom 4. Oktober 1911, Z. 27.925.

4. Viktor Frank, Lehramtskandidat, bestellt zum k. k. suppl. Gymnasiallehrer an Stelle des beurlaubten k. k. Professors Karl Ritter von Küchler mit dem k. k. L. S. R. Erlasse vom 21. Oktober 1911, Z. 30.217.

5. Josef Opletal, Dr. theol. und phil., k. k. suppl. Realschullehrer an der k. k. II. deutschen Staatsoberrealschule in Brünn, ernannt zum k. k. wirklichen Gymnasiallehrer. K. k. Min. Erlaß vom 21. März 1912, Z. 11.546. (Int. mit dem k. k. L. S. R. Erlasse vom 28. März 1912, Z. 9046.)

III. Es wurden befördert:

a) Nachtrag für das Schuljahr 1910/11:

1. Otto Adamek, k. k. Professor, in die VIII. Rangsklasse. K. k. Min. Erlaß vom 29. Juli 1911, Z. 21.973. (Int. mit dem k. k. L. S. R. Erlasse vom 8. August 1911, Z. 21.398.)

b) Im Schuljahre 1911/12:

Unter Verleihung des Professortitels wurden definitiv im Lehramte bestätigt die k. k. wirklichen Gymnasiallehrer:

1. Adolf K u k u l a mit dem k. k. L. S. R. Erlasse vom 21. November 1911, Z. 33.567,

2. Franz M a t j e k a mit dem k. k. L. S. R. Erlasse vom 21. November 1911, Z. 33.564,

3. Karl M e z n i k, Dr. phil., mit dem k. k. L. S. R. Erlasse vom 21. November 1911, Z. 33.565 und

4. Adolf W i n k l e r, Dr. phil., mit dem k. k. L. S. R. Erlasse vom 21. Mai 1912, Z. 13.823.

B) Personalstand des Lehrkörpers und Lehrfächerverteilung im Schuljahre 1911/12.

1. Friedrich K o h n, k. k. Direktor, k. k. n. a. Hauptmann, Mitglied des k. k. deutschen Bezirksschulrates in Göding, Besitzer der Jubiläumserinnerungsmedaille für die bewaffnete Macht und des Militär-Jubiläumskreuzes, Kustos der Programmsammlung, lehrte Naturgeschichte in der V. Kl., Mathematik in der I.--III. Kl. 12 Std.

(Otto A d a m e k, k. k. Professor der VIII. R. Kl., Exhortator, Weltpriester, lehrte katholische Religion in der Vorb. Kl., I.—VIII. Kl. und böhmische Sprache im 2. und 4. Kurse. 24. Std. Bis zum 8. April 1912.)

2. Oskar F i r b a s, Dr. phil., k. k. Professor, k. k. n. a. Leutnant, Kustos der Lehrmittelsammlung für Geschichte und Geographie, der Münzensammlung, Leiter der Ruderübungen, lehrte Geschichte und Geographie von der II.—VI. Klasse. 21. Std.

3. Maximilian G a n s, Dr. phil., k. k. Professor, lehrte lateinische Sprache in der III., griechische Sprache in der V. Kl., philosophische Propädeutik in der VII. und VIII. Kl., französische Sprache in einem Kurse. Ordinarius der III. Kl., 17 Std.

4. Franz K a r o l l u s, k. k. Professor, Besitzer der Jubiläumserinnerungsmedaille und des Jubiläumskreuzes für Zivilstaatsbedienstete, Kustos der Lehrmittelsammlung für Physik und Chemie, lehrte Mathematik in der IV.—VIII. Kl., Physik und Chemie in der VII. und VIII. Kl., Ordinarius der V. Kl. 21 (im II. Sem. 22) Std.

5. Karl Ritter von K ü c h l e r, k. k. Professor, Baurechnungspraktikant i. d. Ev. der k. k. Landwehr, Besitzer der Jubiläumserinnerungsmedaille für die bewaffnete Macht. Für das Schuljahr 1911/12 beurlaubt.

6. Adolf K u k u l a, k. k. Professor, Kustos der Schülerbibliothek (Gruppe C), lehrte deutsche Sprache in der II. Kl., lateinische Sprache in der IV. und V. Kl., griechische Sprache in der VI. Kl., böhmische Sprache im 3. Kurse. Ordinarius der IV. Kl. 23 Std.

7. Engelbert M a c h e r, k. k. Professor, Kustos der Lehrmittelsammlung für Archäologie, lehrte deutsche Sprache in der II. und III. Kl., lateinische Sprache in der II. und VII. Kl. Ordinarius der II. Kl. 19 Std.

8. Franz M a t j e k a, k. k. Professor, Kustos der Schülerbibliothek (Gruppe A), lehrte deutsche und lateinische Sprache in der I. Kl., griechische Sprache in der VIII. Kl. Ordinarius der I. Kl. 17 Std.

9. Karl M e z n i k, Dr. phil., k. k. Professor, Besitzer des Jubiläumskreuzes für Zivilstaatsbedienstete, Kustos der Lehrerbibliothek, lehrte deutsche Sprache in V.—VIII. Kl., griechische Sprache in der III. Kl., böhmische Sprache im 1. Kurse, Stenographie in zwei Kursen. 23 Std.

10. Rudolf R e i c h, k. k. wirklicher Gymnasiallehrer, Kustos der Schülerbibliothek (Gruppe B), lehrte lateinische Sprache in der VI. und VIII. Kl., griechische Sprache in der IV. und VII. Kl. Ordinarius der VIII. Kl. 19 Std.

11. Josef S c h w e i d l e r, k. k. Professor, für das Schuljahr 1911/12 dem k. k. Staatsrealgymnasium in Graz zur Dienstleistung zugewiesen.

12. Adolf W i n k l e r, Dr. phil., k. k. Professor, k. u. k. Leutnant i. d. R., Kustos der Schülerbibliothek (Gruppe D), der Anschauungsmittel für die Vorb. Kl., Leiter der

Fechtübungen, lehrte deutsche Sprache in der Vorb. Kl. und Geschichte in der VII. und VIII. Kl. Ordinarius der VII. Kl. 19 Std.

13. Josef O p l e t a l, Dr. theol. und phil., k. k. wirklicher Gymnasiallehrer, k. u. k. Feldkurat i. d. Res., Exhortator, Weltpriester, lehrte katholische Religion in der Vorb. Kl., I.—VIII. Kl. und böhmische Sprache im 2. und 4. Kurse. 24 Std. (Vom 9. April 1912.)

14. Edgar E b e r s h a r d t, k. k. Turnlehrer, Besitzer der Jubiläumserinnerungsmedaille für die bewaffnete Macht und des Jubiläumskreuzes für Zivilstaatsbedienstete, Kustos der Lehrmittelsammlungen für Turnen und Jugendspiel, Leiter der Jugendspiele und der Schießübungen, lehrte Turnen in der Vorb. Kl., I.—VIII. Kl. 18 Std.

15. Franz B a c h, Dr. phil., k. k. supplierender Gymnasiallehrer, Kustos der Lehrmittelsammlungen für Naturgeschichte und Mathematik, lehrte Naturgeschichte in der I., II. und VI. Kl., Mathematik in der Vorb. Kl., Physik und Chemie (Mineralogie) in der III. und IV. Kl., Geographie in der I. Kl., Ordinarius der Vorb. Kl. 18 Std.

16. Viktor F r a n k, k. k. supplierender Gymnasiallehrer, Kustos der Lehrmittelsammlungen für Freihandzeichnen und Kalligraphie, lehrte Freihandzeichnen in der Vorb. Kl., I.—IV. Kl. und in einem Kurse am Obergymnasium, Kalligraphie in der Vorb. Kl. und I. Kl. 18 Std.

17. Heinrich S c h w e n g e r, Dr. phil., israelitischer Religionslehrer, Rabbiner, k. u. k. Feldrabbiner i. d. Res., Besitzer des Jubiläumskreuzes für Zivilstaatsbedienstete, lehrte israelitische Religion in der I.—VIII. Klasse in 4 Kursen. 8 Std.

18. Johann N e d o v l a č i l, Bürgerschullehrer, Kustos der Lehrmittel für Gesang, lehrte Gesang in allen Klassen in 3 Kursen. 4 Std.

II. Lehrmittel.

A) Verfügbare Geldmittel.

a) Lehrmittelfond.

1. Aktivrest vom Vorjahre . . . . — K — h
2. Aufnahmetaxen . . . . 298 „ 80 „
3. Lehrmittelbeiträge . . . . 525 „ — „
4. Taxen für Zeugnisduplikate . . . . 16 „ — „
5. Staatszuschuß auf die Normaldotation . . . . 40 „ 20 „

Summe . . 880 K — h

b) Jugendspielfond.

Aktivrest aus dem Vorjahre . . . . — K — h
Spielbeiträge . . . . 272 „ — „

Summe . . 272 K — h

B) Beschaffung von Lehrmitteln.

1. Lehrerbibliothek.

a) Ankauf.

Zeitschrift für die österreichischen Gymnasien. 1911. — Zeitschrift des Deutschen Vereines für die Geschichte Mährens und Schlesiens. XV. 1911. — Mitteilungen der Gesellschaft für deutsche Erziehungs- und Schulgeschichte, nebst Beiheften, Jahresberichten und Mitgliederverzeichnissen. 1911. — Euphorion. Zeitschrift für Literaturgeschichte. XVII. 1. 2. —

Bursians Jahresbericht über die Fortschritte der klassischen Altertumswissenschaft. 38. Jhrg. — Poske, Zeitschrift für den physikalischen und chemischen Unterricht. — Sklarek, Naturwissenschaftliche Rundschau. — Halma-Schilling, Die Mittelschulen Österreichs, 2 Bde. — Hintze, Handbuch der Mineralogie, 1 Heft.

b) Geschenke.

Von Herrn Anton Bezecny in Wien: Thronreden. — Von Herrn Otto Bittmann, fürstl. Forstamtsleiter in Rumburg: Mitteilungen des österreichischen Jagdschutzvereines. 31.—33. Jahrg. — Verhandlungen der k. k. zoologisch-botanischen Gesellschaft in Wien. 53.—60. Jahrg. — Waidwerk und Hundesport. 13.—14. Jahrg. — Zeitschrift des Ingenieur- und Architektenvereines. 56.—63. Bd. — Von Herrn Viktor Bittner in Lundenburg: Köppen W. D., Klimalehre. — Trabert Wilhelm Dr., Meteorologie. — Monatsblätter des wissenschaftlichen Klub in Wien. XXXII. Jahrg. — Die Flagge. — Höckens Feodor, Gedächtniskunst. — Katalog der Pinakothek. — Von der Gesellschaft zur Förderung deutscher Wissenschaft. Kunst und Literatur in Böhmen. Bd. 22, 27, 29, 30. — Vom Kustos: Beilage zu den mährisch-schlesischen Blättern für Stenographie. 37. Jahrg. 1911.

Dr. Karl Meznik.

2. Programmsammlung.

Im Schuljahre 1911/12 erhielt die Anstalt 993 Jahresberichte, daher gegenwärtiger Stand: 6219.

Friedrich Kohn.

3. Schülerbibliothek.

a) Ankauf.

Ginzel, Gaudeamus, Blätter und Bilder für unsere Jugend. 4 Bde. — Jahrbuch der Erfindungen. 2 Exemplare. — Barah M., Wilhelm Tell. — O. Klaußmann, Lohengrin. — Göll H., Illustrierte Mythologie. — O. Hoffmann, Andreas Hofer. — R. Roth, Richard Löwenherz. — Wetmore, Buffalo Bill. — Kolumbus Eier aus „Guter Kamerad".

b) Geschenke.

Von A. Balwin, VI. Kl.: W. O. Horn, Die Eroberung von Algier. — F. Gerstäcker: Die Regulatoren von Arkansas. — G. Schwab, Sagen des klassischen Altertums. — M. Reid, Im afrikanischen Busch. — Von J. Berg, V. Kl.: H. B. Stowe, Onkel Toms Hütte. — F. Hoffmann, Don Quixote. Von A. Eisinger, VI. Kl.: J. F. Cooper, Der Letzte der Mohikaner. — Von V. Dietrich, IV. Kl: Ch. Schmid, Die ungleichen Schwestern. — Ch. Schmid, Der Edelstein. — Von J. Brenner, III. Kl.: H. Herold, Don Quixote. — Von P. Fidrmuc, III. Kl.: K. May, Jenseits der Felsengebirge. — Von Th. Freih. von Fries, IV. Kl.: O. Höcker, Münchhausen. — Von H. Günther, IV. Kl.: K. Dorn, Zum Guten gelenkt. — E. Fehleisen, Zu hoch hinaus. — Rübezahl, der Herrscher des Riesengebirges. — Von F. Hecht, III. Kl.: R. Keil, Märchenbuch. — W. O. v. Horn, Auf dem Mississipi. — G. v. Paysen-Petersen, Till Eulenspiegels lustige Streiche. — A. Hofmann, Märchenpracht. — A. Hofmann, Andersens Märchen. — Von Kühnel, III. Kl : J. Lutzmayer, Zur Geschichte der Kulturpflanzen. — Von W. Loewy, V. Kl.: Emin Pascha. Sein Leben und seine Reisen in Afrika. Für die Jugend bearbeitet. — K. May, Der schwarze Mustang. — P. Rosegger, Waldferien. — Von E. Neugebauer, II. Kl.: P. Moritz, Der Waldläufer. — Von R. Reiner, V. Kl.: W. O. v. Horn, Die Boerenfamilie von Klaarfontein. — Von A. Schmitz, V. Kl.: J. Hoffmann, Märchenwelt. — Von O. Spitz, VI. Kl.: W. O. v. Horn, Die Silberflotte. — Von P. Stern, IV. Kl.: O. Höcker, Mit Gott für König und Vaterland. — O. Höcker, Ein Granatsplitter. — F. Hoff-

maun, Die Lebensversicherung. — Von F. W i e s s n e r, V. Kl : Österreichisches Sagen-
und Märchenbuch. — Österreichischer Lloyd.

Rudolf R e i c h.   Franz M a t j c k a.
Dr. Adolf W i n k l e r.   Adolf K u k u l a.

4. Archäologisches Museum.

A n k a u f.

Wandtafeln: 41. Statue des Augustus von prima porta im Vatikan. 41. Marmor-
statue des Demosthenes im Braccio nuovo des Vatikans zu Rom. 43. Grabstelle der Hegeso,
des Proxenos Tochter vor dem Dirylon zu Athen. 44 Statue des ruhenden Ares im Thermen-
museum zu Rom.   Engelbert M a c h e r.

5. Lehrmittelsammlung für Geographie und Geschichte.

a) A n k a u f.

W a n d b i l d e r : 201. Das kaiserliche Lustschloß in Wien. 202. K. u. k. Artillerie-
Arsenal in Wien. 203. Die Rotunde in Wien. 204. Wünsche, Heringsfang an der Küste
von Norwegen. 205. Stiergefecht in Spanien. 206. Die Straße von Gibraltar. 207. Das
Innere des Stephansdomes in Wien. 208. K. k. Hofburg in Wien. Rittersaal. 209. Wünsche,
Im Hafen von Dar es Salôm. 210. Auf der Steppe von Windhöck. — K a r t e n : 10. XV.
Auspitz—Nikolsburg (5 Stück). 10. XVI. Göding—Lundenburg (5 Stück).

b) G e s c h e n k e.

Von Herrn Direktor Friedrich K o h n : Karten und Pläne: Nr. 84—122. 41 Nummern
in 44 Stück; Generalkarten: 125 - 128; 3 Nummern; Spezialkarten: 129—133 5 Stück. —
Von Herrn M a t t o n i in Franzensbad: Wandtafel von Gießhübel und die Versendung des
Sauerbrunns.   Dr. Oskar F i r b a s.

6. Münzensammlung.

G e s c h e n k e.

Von Herrn Leo P o p p e r, Fabriksdirektor, Unterthemenau: 1 Drachme 1883,
1 Schilling 1911, 1 Six Pence 1906, 1 Penny 1900, 1 tunes. Franc 1892, 1 tunes. 10 cent,
ein 5 cent., ein 10 Kopekenstück, 3 französische Kupfermünzen.   Dr. Oskar F i r b a s.

7. Lehrmittelsammlung für Mathematik.

1 Rollenlineal.   Dr. Franz B a c h.

8. Lehrmittelsammlung für Naturgeschichte.

a) A n k a u f.

Präparate des ventrum. — Jung-, Koch-, Quentell-Wandtafeln.

b) G e s c h e n k e.

Von C t v r t n i č e k, I Kl.: Lepus timidus, Hase (Schädel). — Von Herrn Turnlehrer
E. E b e r s h a r d t : Upupa epops, Wiedehopf, Vespa crabro, Hornis. — Von H a b a, IV. Kl.:
Putorius vulgaris, Wiesel, Acridium aegypticum. — Von Herrn A. H a w l i k, k. k. Linien-
schiffsleutnant: Fische, Weichtiere, Krebse, Würmer, Stachelhäuter und Quallen aus der
Adria. Larus ridibundus, Lachmöve. — Von M o s e r, IV. Kl.: Picus viridis, Grünspecht. —

Von W a c h s, I. Kl.: Crex pra,ens;s, Wachtelkönig. — Von einzelnen Schülern der Vorbereitungs-, I. und II. Klasse verschiedene Käfer, Hautflügler und Schmetterlinge.

Dr. Franz B a c h.

9. Lehrmittelsammlung für Physik und Chemie.

a) A n k a u f.

Apparat für Kräfteparallelogramme. — Apparat zum Nachweise des Energieprinzipes. — Hartls Demonstrations-Zeiserwage mit Nebenapparaten für a) Adhäsion, b) Reibung, c) Archimedisches Princip, d) Widerstand des Mittels. — Metronom. — Zwei Thermometer. — Kegelkonduktor. — Apparat zum Nachweise des Sitzes der Elektrizität. — Schieberreostat. Franz K a r o l l u s.

10. Lehrmittelsammlung für Freihandzeichnen.

A n k a u f.

Relief Professor Arlt von Bitterlich. — Nietzsche Maske. — Kopf eines Mannes. — Voltaire-Büste. — Quartbuch mit Schließen. — Getrocknete Früchte. — Ein Spatz im Starhäuschen mit 2 Staren. Viktor F r a n k.

11. Lehrmittelsammlung für Kalligraphie.

Unverändert geblieben. Viktor F r a n k.

12. Lehrmittelsammlung für den Gesangsunterricht.

Unverändert geblieben. Johann N e d o v l a č i l.

13. Lehrmittelsammlung für den Anschauungsunterricht in der Vorbereitungsklasse.

Unverändert geblieben. Dr. Adolf W i n k l e r.

14. Sammlung der Geräte für das Jugendspiel.

a) A n k a u f.

3 Fußballhüllen. — 1 Fußballnadel. — 4 Handbälle. — 2 Schwimmböcke.

b) G e s c h e n k e.

Von der S c h u h f a b r i k B a t a in Zlin: Turnschuhe. — Von Dietrich IV. Kl.: 9 m Gummischlauch. — Von K a f k a, Vorb. Kl.: Turnschuhe.

Edgar E b e r s h a r d t.

15. Sammlung der Lehrmittel für den Musikunterricht.

Mehrere Noten für das Orchester. D i r e k t i o n.

III. Stand der Lehrmittelsammlungen
am Schlusse des Schuljahres 1911/12.

Lehrmittelsammlung	Stand am Ende des Schuljahres 1910/11		Zuwachs im Schuljahre 1911/12		Stand am Ende des Schuljahres 1911/12	
	Inventar-Nummern	Stücke	Inventar-Nummern	Stücke	Inventar-Nummern	Stücke
1. Lehrerbibliothek	1003	1938	16	52	1519	1990
2. Programmsammlung . . .	—	5226	—	1016	—	5242
3. Schülerbibliothek	928	988	44	49	972	1037
4. Archaeologie	258	259	4	4	262	263
5. Geschichte und Geographie .	—	758	—	73	—	831
6. Münzensammlung	—	819	—	10	—	829
7. Mathematik	—	74	—	1	—	75
8. Naturgeschichte	—	3276	—	30	—	3306
9. Physik und Chemie . . .	—	812	—	12	—	824
10. Freihandzeichnen	—	1406	—	7	—	1413
11. Kalligraphie	—	47	—	—	—	47
12. Gesang	—	30	—	—	—	30
13. Anschauungsunterricht (Vorb.-Kl.)	—	100	—	—	—	100
14. Jugendspiel	—	166	—	6	—	172
15. Musik	—	82	—	3	—	85

IV. Statistik der Schüler.

	Vorb.	I	II	III	IV	V	VI	VII	VIII	Zusammen
I. Zahl.										
Zu Ende 1910/11	26	49	39	38	25	20	25	21	21	264
Zu Anfang 1911/12	9	52	40	31	30	23	20	25	21	271
Während des Schuljahres eingetreten	2	—	2	1	—	2	—	1	—	8
Im ganzen also aufgenommen	31	52	42	32	30	25	20	26	21	279
Darunter:										
Neu aufgenommen und zwar:										
aufgestiegen	30	21	4	2	—	9	1	3	—	70
Repetenten	—	—	—	—	1	—	—	—	—	1
Wieder aufgenommen und zwar:										
aufgestiegen	—	23	34	28	28	16	18	23	21	191
Repetenten	1	8	4	2	1	—	1	—	—	17
Während des Schuljahres ausgetreten	—	2	—	1	4	—	2	3		12
Schülerzahl zu Ende 1911/12	31	52	40	32	29	21	20	24	18	267
Darunter:										
Öffentliche Schüler	29	47	37	30	29	21	20	24	18	254
Privatisten bzw. Privatistinnen	—	1	—	1	—	—	—	1	—	3
Hospitantinnen	2	4	3	1	—	—	—	—	—	10
2. Geburtsort (Vaterland).										
Lundenburg	10_1	16_2	10_2	7_1	9	5	5	7^1	7	76_6^1
Mähren (außer Lundenburg)	14	13	9_1	7	7	7	5	6	4	72_1
Niederösterreich	3_1	17_2	12	12	13	8	8	7	4	84_2
Böhmen	—	—	—	—	—	—	1	—	—	2
Schlesien	2	—	1	2	—	—	1	—	1	7_2
Steiermark	—	—	1	—	—	—	—	—	—	1
Galizien	—	1	—	—	—	—	—	1	—	2
Kroatien	—	—	1	—	—	—	—	—	—	1
Ungarn	—	—	1	1	—	—	—	1	2	5
Bosnien	—	0^1	—	0^1	—	—	—	—	—	0_2
Deutschland	—	—	2	—	—	1	—	—	—	3
Niederlande	—	—	—	1	—	—	—	—	—	1
Summe	29_2	47_4^1	37_3	30_1^1	29	21	20	23^1	18	254_{10}^3
Muttersprache.										
Deutsch	28_2	36_4^1	31_3	26_1^1	22	21	19	21^1	15	219_{10}^3
Čechoslavisch	1	11	6	4	7	—	1	2	2	34
Ungarisch	—	—	—	—	—	—	—	—	1	1
Summe	29_2	47_4^1	37_3	30_1^1	29	21	20	23^1	18	254_{10}^3
4. Religionsbekenntnis.										
Römisch-katholisch	29_2	36_4	25_1	23	22	15	11	16	7	184_7
Evangelisch Augs. Konfession	—	2	1	$—_1$	1	2	—	1	—	7
Helvet. Konfession	—	1	—		1	—	—	—	—	2^3
Israelitisch	—	8^1	11_2	7^1	5	4	9	6^1	11	61_3
Summe	29_2	47_4^1	37_3	30_1^1	29	21	20	23^1	18	254_{10}^3

	Vorb.	I	II	III	IV	V	VI	VII	VIII	Zusammen
5. Lebensjahr.										
10 Jahre	5	—	—	—	—	—	—	—	—	5
11 „	20$_2$	8^1	—	—	—	—	—	—	—	28$^1_2$
12 „	3	16$^1_2$	9	—	—	—	—	—	—	28$^1_2$
13 „	—	13$_1$	11$_1$	3^1	—	—	—	—	—	27$_2$
14 „	1	15	12$_1$	11	7	—	—	—	—	36
15 „	—	4	2	7	12	6	—	—	—	31^1
16 „	—	—	3	7$_1$	5	4	5	—	—	21$_1$
17 „	—	—	—	1	2	6	7	6^1	—	22^1
18 „	—	1	—	1	3	3	6	6	6	26
19 „	—	—	—	—	—	2	1	8	4	15
20 „	—	—	—	—	—	—	1	2	4	7
21 „	—	—	—	—	—	—	—	1	2	3
22 „	—	—	—	—	—	—	—	—	6	1
23 „	—	—	—	—	—	—	—	—	1	1
Summe	29$_2$	47$^1_2$	37$_3$	30$^1_2$	29	21	20	23^1	18	254$^8_{10}$
6. Nach dem Wohnorte der Eltern										
Lundenburg	25$_2$	26$_4$	18$_3$	15$_1$	12	9	10	10	7	33
Mähren (außer Lundenburg)	3	6	4	1	5	3	2	5	4	82^1
Niederösterreich	1	15	13	12	12	9	6	8^1	6	1
Steiermark	—	—	1	—	—	—	—	—	—	2^1
Kroatien	—	—	1	—	—	—	1	—	—	3
Ungarn	—	—	—	2	—	—	—	—	—	1
Bosnien	—	0^1	—	0^0	—	—	1	—	1	0^2
Summe	29$_2$	47$^1_4$	37$_3$	30$^1_2$	29	21	20	23^1	18	254$^8_{10}$
7. Klassifikation.										
a) Zu Ende des Schuljahres 1911/12:										
Zum Aufsteigen vorzüglich geeignet*)	5	7$_2$	6	3	4	1	2	1	3	32
Zum Aufsteigen geeignet	21$_1$	26$_2$	25$_2$	18^1	13	14	16	20	11	163$^1_5$
Zum Aufsteigen im allgemeinen geeignet	—	4	4	2	5	—	—	—	—	15
Zum Aufsteigen nicht geeignet	3	8	2$_1$	6	4	1	1	—	—	25^1
Es erhielten die Bewilligung zu einer Wiederholungsprüfung	—	1	—	0	2	5	1	3	4	16^1
Nicht klassifiziert wurden	0$_1$	1	—	1^1	1	—	—	—	—	3$^1_1$
Vor der Klassifikation traten aus	—	—	2	—	1	4	—	2	3	12
Summe	29$_2$	74$_4$	37$_3$	30$^1_2$	29	21	20	24	18	254$^1_{10}$
b) Nachtrag zum Schuljahre 1910/11:										
Wiederholungsprüfungen waren bewilligt	—	—	2	1	1	4	2	1	—	12
Entsprochen haben	—	—	2	1	1	4	3	1	—	11
Nichtentsprochen haben (oder nicht erschienen sind)	—	—	—	—	—	—	1	—	—	1
Nachtragsprüfungen waren bewilligt	—	1	—	1	1	—	2	—	—	5
Entsprochen haben	—	—	—	—	—	—	1	—	—	1
Nicht entsprochen haben	—	—	—	—	—	—	—	—	—	—
Nicht erschienen sind	—	1	—	1	1	—	1	—	—	4

*) Bezüglich der VIII. Klasse haben die oberste Klasse beendet.

	Vorb.	I	II	III	IV	V	VI	VII	VIII	Zusammen
				Klasse						
Darnach ist das Endergebnis für 1910/11.										
Zum Aufsteigen vorzüglich geeignet*)	0^1	6_2	2^1	3	2	1	1	3	5	23_2^1
Zum Aufsteigen geeignet . . .	25^1	24_1	25_1	23	16^-	17	21^1	18	16	185_2^1
Zum Aufsteigen im allgemeinen geeignet	—	3	4	4	3	—	—	—	—	14
Zum Aufsteigen nicht geeignet . .	4	12	6	7	3	1^1	1	—	—	34^1
Ungeprüft blieben	—	1	—	1	1	—	1	—	—	4
Summe . . .	29_1^1	46_3	37_1^1	38	25	19^1	24^1	21	21	260_5^3

8. Geldleistungen der Schüler.

Das Schulgeld zu zahlen waren verpflichtet:

	Vorb.	I	II	III	IV	V	VI	VII	VIII	Zusammen
im I. Semester	15	23	21	19	16	11^-	14	14	17	150
im II. Semester	16	23	22	19	18	12	$\sim$14	14	17	155

Zur Hälfte befreit waren:

im I. Semester	—	—	—	2	—	—	—	—	—	2
im II. Semester . . . . . -.	—	—	1	1	1	—	—	—	—	3

Ganz befreit waren:

im I. Semester	15	28	19	11	13	11	6_-	9	2	114
im II. Semester	15	28	18	11^-	10	10	6	9	2	109

Das Schulgeld betrug im ganzen:

im I. Semester	150	690	645	575	495	330	420	420	510	4230
im II. Semester	160	690	675	585	555	360	420	420	510	4375
Summe . . .	310	1380	1320	1160	1050	690	840	840	1020	8605

Die Aufnahmetaxen betrugen .	30	181·80	16·30	8·40	4·20	37·80	4·10	12·60	—	298·80
Die Lehrmittelbeiträge betrugen .	31	102	84	64	60	50	40	52	42	525
Die Taxen für Zeugnisduplikate betrugen.	—	—	—	—	—	—	—	—	—	16·—

9. Besuch des Unterrichtes in den relativ obligaten und nicht obligaten Gegenständen.

Böhmische Sprache.	—	47	37_3	15_1	17	2	9	5	6	138_4
Französische Sprache	—	—	—	—	—	5	2	4	—	11
Stenographie	—	—	—	—	24	15	17	4	—	60
Gesang	28	19	9	7	5	4	6	6	10	94
Zeichnen (O.-G.).	—	—	—	—	—	4	4	1	1	10

10. Stipendien.

Anzahl der Stipendien . . .	—	1	—	1	—	—	2	—	1	5
Gesamtbetrag der Stipendien . .	—	200	—	100	—	—	300	—	180	780

---

*) Bezüglich der VIII. Klasse haben die oberste Klasse beendet.

V. Namensverzeichnis der Schüler.

Die Namen der Vorzugsschüler sind durch fette Lettern, jene der ausgetretenen Schüler durch Einklammern gekennzeichnet. Abkürzungen: B. = Böhmen, Bs. = Bosnien, G. = Galizien, D. = Deutschland, K. = Kroatien, M. = Mähren, N. = Niederösterreich, Nl. = Niederlande, Sch. = Schlesien, St. = Steiermark, U. = Ungarn.

Vorbereitungsklasse.

1. Berger Franz, Lundenburg, M. 2. **Berka Franz**, Wien, N. 3. Bolek Ludwig, Saitz, M. 4. Burian Rudolf, Altenmarkt, M. 5. Czadek Karl, Dzieditz, Sch. 6. Effenberg Julius, Lundenburg, M. 7. Fidrmuc Georg, Butschowitz, M. 8 Hajek Anton, Groß-Kunzendorf, Sch. 9. Horak Josef, Lundenburg, M. 10. Jahn Franz, Oderfurt, M. 11. Kafka Karl, Draha-nowitz, M. 12. Klimowitsch Heinrich, Lundenburg, M. 13. Kotzian Franz, Zauchtl, M. 14. Kühnel Hubert, Reichenau, M. 15. Mikesch Franz, Lundenburg, M. 16. Müller Theodor, Lundenburg, M. 17. Olearczyk Gustav, Lundenburg, M. 18. Pektor Rudolf, Unter-Themenau, N. 19. Rajewsky Hilda, Pernhofen, N. (Hosp.). 20. **Bauer Rudolf**, Bölten, M. 21. **Ressel Gerhard**, Hullein, M. 22. **Ruby Otto**, Lundenburg, M. 23. Schultes Johann, Mähr.-Ostrau, M. 24. Schwetz Karl, Rautenberg, M. 25. Stanzel Gustav, Lundenburg, M. 26. Stättner Rudolf, Wien, N. 27. Štěpán Gregor, Lundenburg, M. 28. Wassermann Karl, Unter-Tannowitz, M. 29. **Woble Emil**, Ung.-Hradisch, M. 30. Womačka Franz, Rietsch, M. 31. Würth Melitta, Lundenburg, M. (Hosp.)

I. Klasse.

1. Antritter Alfred, Lundenburg, M. 2. **Antritter Mathilde**, Lundenburg, M. (Hosp.). 3. **Bača Martin**, Landshut, M. 4. Brenner Johann, Lundenburg, M. 5. Čap Stanislaus, Pohořelitz, M. 6. Cassel Marie, Wien, N. 7. Ctvrtniček Johann, Auspitz, M. 8. Duch-kowitsch Friedrich, Eisgrub, M. 9. Eisinger Fritz, Lundenburg, M. 10. Fried Walter, Lundenburg, M. 11. Gaidosch Rudolf, Unter-Themenau, N. 12. Großer Fritz, Lundenburg, M. 13. **Güttler Ludwig**, Wien, N. 14. Hagn Alois, Feldsberg, N. 15. Horak Johann, Lundenburg, M. 16. **Hromek Anton**, Wien, N. 17. Jeřabek Rudolf, Wien, N. 18. Körbel Stella, Bihač, Bs. (Priv.). 19. **Kos Eduard**, Feldsberg, N. 20. Kreuzer Rudolf, Lundenburg, M. 21. Krysl Karl, Wien, N. 22. Larisch Friedrich, Wien, N. 23. **Lauche Karl**, Eisgrub, M. 24. Linhard Rudolf, Feldsberg, N. 25. Malewski Viktor, Dzieditz, Sch. 26. Nemetz Richard, Lundenburg, M. 27. Neugebauer Eduard, Lundenburg, M. 28. Neumann Gottlieb, Unterthemenau, N. 29. Neumann Wilhelm, Kostel, M. 30. Patzl Hugo, Feldsberg, N. 31. Polaschek Franz, Müglitz, M. 32. Pollak Franz, Eisgrub, M. 33. Raška Robert, Unter-Themenau, N. 34. Reichel Rudolf, Angern, M. 35. Röminger Walter, Wien, N. 36. **Rossak Marie**, Lundenburg, M., (Hosp.). 37. Schneider Julius, Drösing, N. 38. Slovaček Josef, Lundenburg, M. 39. Sowa Josef, Hohenau, N. 40. Staffa Franz, Lundenburg, M. 41. Stoklasek Josef, Lundenburg, M. 42. Sträußler Dawid, Pruschanek, M. 43. **Uher Anton**, Landshut, M. 44. Unger Ernst, Lun-denburg, M. 45. Wachs Franz, Lundenburg, M. 46. Walentik Ladislaus, Lundenburg, M. 47. Watzulik Franz, Prerau, M. 48. Wawerka Berta, Wien, N. 49. Weigl Ernst, Lun-denburng, M. 50. Weilinger Karl, Bernhardstal, N. 51. Weiß Josef, Göding, M. 52. **Zimmer-mann Wilhelm**, Eisgrub, M.

II. Klasse.

1. Aufricht Robert, Wien, N. 2. Beiner Erich, Königshütte, D. 3. Blumenthal Karl, Bentschen, D. 4. Böchzelt Franz, Wien, N. 5. Boreš Bohumir, Eibenschitz, M. 6. Drobilič Johann, Bischofwart, N. 7. **Duchkowitsch Johann**, Hohenau, N. 8. Feldsberg Alfred, Herren-baumgarten, N. 9. Feldsberg Max, Auspitz, M. 10. Flicker Hermann, Lundenburg, M. 11. Freilach Robert, Lundenburg, M. 12. Fried Alfred, Lundenburg, M. 13. Friedrich Marie, Klobouk, M. (Hosp.). 14. **Habanetz Josef**, Lundenburg, M. 15. Hofstätter Karl, Tasswitz, M. 16. Holländer Hans, Lundenburg, M. 17. Holländer Stephanie, Lundenburg, M. (Hosp.). 18. Huber Franz, Trifail, St. 19. **Jankowitsch Josef**, Rietsch, M. 20. Karger Friedrich,

Sasvar, U. 21. Kochesser Alois, Bielitz, Sch. 22. Konečny Hubert, Zistersdorf, N. 23. **Kurten-acker Adolf**, Unterthemenau, N. 24. Marouschek Friedrich, Wien, N. 25. Mildner Karl, Alt-stadt, M. 26. Mück Karl, Brünn, M. 27. Mutsam Ferdinande, Lundenburg, M. (Hosp.). 28. Neu-gebauer Emanuel, Weternitza, K. 29. Neumann Salomon, Kostel, M. 30. Neumann Siegfried, Kostel, M. 31. Prinz Karl, Zistersdorf, N. 32. Schantl Erich, Lundenburg, M. 33. Schultes Anton, Eisgrub, M. 34 Schwendt Ladislaus, Wien, N. 35. Schwrczek Augustin, Lundenburg, M. 36. **Silberschütz Leopold**, Lundenburg, M. 37. Spitz Fritz, Lundenburg, M. 38. Stangl Heinrich, Wien, N. (Steuer Hugo, Teschen, Sch). 39. Tief Eugen, Lundenburg. 40. **Vockh Gustav**, Feldsberg, N. (Walentik Gustav, Lundenburg, M).

III. Klasse.

1. Baranek Karl, Eisgrub, M. 2. Birsak Johann, Bernhardstal, N. 3. Brenner Josef, Lundenburg, M. 4. Bruckner Rudolf, Pulgram, M. 5. Cassel Johann, Amsterdam, Nl. 6. Czuczka Erich, Lundenburg, M. 7. Dasché Erich, Hohenau, N. 8. Deutsch Leopold, Groß-Inzersdorf, N. 9. Fidrmuc Paul, Jägerndorf, Sch. 10. Frühbauer Ottokar, Unter-Themenau, N. 11. Hecht Franz, Rabensburg, N. 12. Heßky Theodor, Lundenburg, M. 13. Kellner Franz, Lundenburg, M 14 **Klima Rudolf**, Hohenau, N. 15 Konkolski Josef, Freistadt, Sch. 16. Körbel Viktor, Bihač, Bs. (Priv.). 17. Krakauer Leo, Unter-Themenau, N. 18. Kučera Josef, Altenmarkt, M. 19. Kühnel Adolf, Wien, N. 20. **Kupsky Heinrich**, Dobromělitz, M. 21. Malinkowitsch Josef, Ober-Themenau, N. 22. Matzner Josef, Böhmischkrut, N. 23. Nemetz Josef, Lundenburg, M. 24. Pollach Adolf, Bojkowitz, M. 25. Rintsch Wilibald, Gewitsch, M. 26. **Schultes Leopold**, Herrnbaumgarten, N. 27. Stark Hans, Morva Szt. Janos, U. 28. Štěpán Antonie, Lundenburg, M. (Hosp.). 29. Weiß Felix, Lundenburg, M. 32. Weiß Leopold, Lundenburg, M.

IV. Klasse.

1. **Adler Franz**, Holleschau, M 2. Antel Otto, Lundenburg, M. 3. **Blaha Walter**, Namiest, M. 4. Brinda Johann, Boskowstein, M. 5. Butschek Oskar, Marchegg, N. 6. Butta Robert, Rabensburg, N. 7. Czuczka Konrad, Lundenburg, M. 8. **Dietrich Viktor**, Brünn, M. 9. Eiermann Eduard, Lundenburg, M. 10. Frank Ferdinand, Lundenburg, M. 11. Fries Theodor, Freiherr von, Chudwein, M. 12. Gansinger Franz, Wien, N. 13. Günther Hans, Lundenburg, M. 14. Haba Georg, Wien, N. 15. Kassal Karl, Unter-Themenau, N. 16. Kolmar Alfred, Lundenburg, M. 17. Kupsky Franz, Lundenburg, M 18 Matkay Eduard, Lundenburg, M. 19. Moravek Ladislaus, Unter-Themenau, N. 20. Moser Roman, Kleinschweinbart, N. 21. Olša Wladimir, Altenmarkt, M. (Růžička Eduard, Bernhardstal, N) 22. **Springer Franz**, Leopoldau, N. 23. Šramek Stanislaus, Unter-Themenau, N. 24. Stěpanek Wilhelm, Ottental, N. 25. Stern Paul, Wien, N. 26. Vesely Friedrich, Turnitz, M. 27. Žak Josef, Lundenburg, M. 28. Ženčica Heinrich, Ober-Themenau, N. 29. Zikovsky Josef, Böhmischkrut, N.

V. Klasse.

(Aufricht Ernst, Wien, N.) 1. Berg Johann, Mödling, N. 2. Born Alois, Herrn-baumgarten, N. 3. Burian Ludwig, Altenmarkt, M. 4. Buzerla Hans, Lundenburg, M. 5. Cassel Josef, Skt. Tönis, D. 6. **Friedrich Robert**, Klobouk, M. (Grusch Franz, Reintal, N.) (Jerabek Bruno, Eisgrub, M) 7. Kubina Josef, Lundenburg, M. 8. Lauche Rudolf, Eisgrub, M. 9. Litschmann Franz, Lundenburg, M. 10. Löwy Waldemar, Pillichsdorf, N. 11. Navratil Ludwig, Stadt Liebau, M. 12. Obsieger Eduard, Lundenburg, M. 13. Perschl Franz, Wien, N. 14. Ratschitzky Rudolf, Branowitz, M. 15. Reiner Robert, Lundenburg, M. 16. Schimetta Alfred, Angern, N. 17. Schmitz Adolf, Mistelbach, N. 18. Schulhof Hans, Wien, N. 19. Steiner Alois, Wien, N. 20. Tutschek Franz, Laa, N. 21. Watzal Johann, Tesswitz, M. (Wießner Franz, Oroszka, U.)

VI. Klasse.

1. Balwin Adalbert, Obrowitz, M. 2. Eisinger Armin, Kostel, M. 3. Fidrmuc Friedrich, Jägerndorf, Sch. 4. Fuhry Josef, Poysdorf, N. 5. Grünbaum Josef, Lundenburg, M. 6. Heiek Franz, Lundenburg, M. 7. Herlinger Max, Böhm.-Leipa, B 8 Huber Hermann, Tath U,

9. **Kassner Oskar,** Groß-Pawlowitz, M. 10. Kurka Josef, Bischofwart, N. 11. Rint Robert, Drösing, N. 12. Rintsch Franz, Gewitsch, M. 13. Schipper Johann, Wien, N. 14. **Schreiber Kurt,** Lundenburg, M. 15. Spitz Otto, Saitz, M. 16. Stern Rudolf, Poysdorf, N. 17. Stern Siegfried, Lundenburg, M. 18. Strauß Oskar, Lundenburg, M. 19. Strobl Rupert, Spannberg, N. 20. Tiefenbacher Walter, Klosterneuburg. N.

VII. Klasse.

1. Badura Karl, Lundenburg, M. 2. Beitl Johann, Taßwitz, M. 3. **Czerny Artur,** Bedihoscht, M. 4. Dingelstedt Ernst, Freiherr von, Dürnkrut, N. 5. Frankl Leo, Lundenburg, M. (Priv.). 6. Groß Robert, Mistelbach, N. 7. Helia Franz, Altenmarkt, M. 8. Matejka Hermann, Eisgrub, M. 9. Mayer Karl, Pulkau, N. 10. Naske Rudolf, Oslawan, M. 11. Neugebauer Richard, Lundenburg, M. (Qrnstein Hans, Wien, N.) 12. Pfeiffer Rudolf, Andrichau, G. 13. Philipp Rudolf, Baden, N. 14. Rosenfeld Paul, Lundenburg, M. 15. Salentinig Josef, Wien, N. (Schmitzer Anton, Niedersulz, N.). 16. Schreiber Franz, Lundenburg, M. 17. Schultes Matthias, Katzelsdorf, N. 18. Tannenberger Franz, Sasvar, U. 19. Terk Rupert, Pottenhofen, N. 20. Thim Karl, Lundenburg, M. 21. Thim Walter, Lundenberg, M. 22. Wachs Karl, Lundenburg, M. 23. Wesselý, Karl, Ober-Bojanowitz, M. 24. Zimmermann Friedrich, Brünn, M.

VIII. Klasse.

1. Altbach Bruno, Lundenburg, M. 2. **Arthold Josef,** Hausbrunn, N. 3. Cžuczka Walter, Lundenburg, M. (Deutsch Moritz, Groß-Inzersdorf, N.) 4. Dietzl Ferdinand, Sierndorf, N. 5. Gold Viktor, Lundenburg, M. 6. Goldschmid Ernst, Lundenburg, M. 7. Hnatović Heinrich, Kutti, U. 8. **Jellinek Erwin,** Lundenburg, M. 9. Karl Johann, Haugsdorf, N. 10. **Kurlal Franz,** Ober-Themenau, N. 11. Lisec Johann, Znaim, M. 12. Pangratz Johann, Lundenburg, M. 13. Popper Bruno, Prag, B. (Reich Ernst, Lundenburg, M. †.) 14. Reiß Walter, Lundenburg, M. Spatzierer Josef, Eisgrub M.). 15. Stangl Richard, Ersekujvár, U. 16. Steiner Bernhard, Saitz, M. 17. Tretter Rupert, Pratsch, M. 18. Weiniger Viktor, Hosterlitz, M.

VI. Unterstützungswesen.

A) Stipendien.

Nr.	Name des Stipendisten	Klasse	Benennung der Stiftung	Verliehen mit Dekret	Betrag	
					K	h
1	Unger Ernst	I.	Gabriel Stein'sche Studentenstiftung	Stadtvorstand Lundenburg 1912	200	—
2	Kučera Josef	III.	Hermann von Kuffner'sche Studentenstiftung	dto.	100	—
3	Eisinger Armin	VI.	dto.	dto.	100	—
4	Spitz Otto	VI.	Gabriel Stein'sche Studentenstiftung	dto.	200	—
5	Altbach Brnno	VIII.	Jakob Kuffner'sche Studentenstiftung	Stadtvorstand Lundenburg 1911	180	—

Außerdem bezogen 24 Schüler Privatstipendien im Betrage von 3680 Kronen. Daher beträgt die Gesamtsumme der Stipendien 4560 Kronen.

B) Gymnasial-Unterstützungsverein in Lundenburg.

a) Gründete Mitglieder:

1. Rudolf Auspitz (†). 2. Adolf Bauer, Fabrikbeamter. 3. Israelitische Kultusgemeinde. 4. Dr. Ignatz Čžučžka, Advokat. 5. Karl Ehrlich, Apotheker. 6. Fritz Hoffmann. 7. Josef Hoffmann, Mühlenpächter. 8. Alfred Holašek, Stadtsekretär. 9. Alois Juritzky, Bürgerschuldirektor. 10. Hermann von Kuffner (†). 11. Franz Martiny, Sparkassa-Amtsleiter. 12. Bernhard Morgenstern (†). 13. Dr. Berthold Sax. 14. Eduard Schleimayer, Landtagsabgeordneter. 15. Schramm'sche Fabrik. 16. Lundenburger Sparkassa. 17. Bernhard Stein, Fabrikant. 18. Gabriel Stein (†). 19. Ludwig Stein. 20. Altbürgermeister Johann Striegl.

b) Wirkliche Mitglieder:

1. Adler Gustav, Fabrikant. 2. Antel Anton, Zugsführer. 3. Antritter August, Uhrmacher. 4. Backer Norbert, Photograph. 5. Bartsch Adolf, Bäcker. 6. Bauer Adolf, Beamter i. R. 7. Dr. Bauer Heinrich. 8. Bauer Regine, Doktorsgattin. 9. Baumer Ludwig, Forstmeister. 10. Berg Erwin, Forstkontrollor. 11. Berger Johann, Kondukteur. 12. Bittner Heinrich, Realitätenbesitzer. 13. Böchzelt Franz, Stationsmeister. 14. Brenner Johann, Maschinführer. 15. Busela Johann, Oberkondukteur. 16. Czadek Karl, Heizhausvorstand. 17. Čalansky Theodor, Fachlehrer. 18. Cehak Hubert, Buchhändler. 19. Černy Karl, k. k. Oberkontrollor. 20. Constant Emerich, Lokomotivführer. 21. Cvrček August, Oberkondukteur. 22. Ctvrniček Johann, Steuerverwalter. 23. Čžučžka Henriette. 24. Dr. Čžučžka Ignatz, Advokat. 25. Darás Gabriele von Darás-Porpacz. 26. Deutsch Julius, Kaufmann. 27. Dr. Dietrich Viktor. 28. E. Ebershardt, k. k. Turnlehrer. 29. Ehrlich Karl, Apotheker. 30. Ehrlich Marie. 31. Eiermann Eduard, Hotelier. 32. Eisinger Wilhelm, Lokomotivführer. 33. Elsner Gustav, Direktor. 34. Elsner Maximilian, Beamter. 35. Faber Karl, Sägeleiter (†). 36. Feldsberg Wilhelm, Kaufmann. 37. Dr. Fidrmuc Georg, k. k. Notar. 38. Fidrmuc Marie. 39. Dr. Firbas Oskar, k. k. Professor. 40. Fleißig Jakob, Fleischhauer. 41. Flicker Josef, Beamter. 42. Frank Karl, Viehhändler. 43. Frank Ludwig, Rentmeister. 44. Friedenfeld Siegmund, Spengler. 45. Dr. Gans Max, k. k. Professor. 46. Gerstberger Franz, k. k. Ober-Postverwalter. 47. Gentebrück Ernst, Fabrik-Direktor. 48. Gold Ferdinand, Kaufmann. 49. Gold Jonas, Kaufmann. 50. Gold Wilhelm, Kaufmann. 51. Goldschmid Adolf, Kaufmann. 52. Goldschmied Eduard, em. Oberlehrer. 53. Goldschmied Ernst, Sekretär. 54. Gossnig Eduard, Hutmacher. 55. Groß Richard, Kontrollor. 56. Großer Arnold, Kaufmann. 57. Grünbaum Wilhelm, Kaufmann. 58. Günther Georg, Beamter. 59. Güttler Ludwig, Lokomotivführer. 60. Hájek Anton, techn. Beamter. 61. Hambek Franz, Maschinführer. 62. Hanaček Raimund, Bürgerschuldirektor. 63. Hauser Josef, Ober-Direktor. 64. Hauser Edmund, Bauunternehmer. 65. S. Herz, Direktor. 66. Hesky Hermann, Kaufmann. 67. Heyer Siegmund, Maschinführer. 68. Hladik Franz, k. k. Postoffizial. 69. Hoffmann Friedrich, Realitätenbesitzer. 70. Hoffmann Fanni. 71. Hoffmann Josef, Mühlpächter. 72. Hoffmann Rosa. 73. Holländer Josef, Kaufmann. 74. Holländer Moritz, Fabrikant. 75. Horak Franz, Maschinenmeister. 76. Höss Anton, Schlosser. 77. Krych Josef, Maschinführer. 78. Jahn Franz. 79. Jellinek Moritz, Kaufmann. 80. Jeřabek Rudolf, Maschinführer. 81. Juritzky Alois, Bürgerschuldirektor. 82. Kafka Eduard, Bürgermeister. 83. Kafka Franz, Oberbuchhalter. 84. Kellner Martin, Oberkondukteur. 85. Kitlička Franziska. 86. Kočička Johann, Baumeister. 87. Kohn David, Oberkantor. 88. Kohn Friedrich, k. k. Gymnasial-Direktor. 89. Kohn Helena. 90. Koller Heinrich, Zuckerbäcker. 91. Konstant Max, Maschinführer. 92. Krause Johann, Stationsmeister. 93. Kreiml Anton, Maschinführer. 94. Kreuzer Leopold, Maschinführer. 95. Kubina Marie. 96. Kučera Johann, Zimmermeister. 97. Kühnel Adolf, Förster. 98. Kukula Adolf, k. k. Professor. 99. Künstler Karl, Holzhändler. 100. Larisch Jakob, Lokomotivführer. 101. Lechner Josef, Bauunternehmer. 102. Litschmann Franz, Wagenaufseher. 103. Löbcke Hermann, Maschinführer. 104. Macher Engelbert, k. k. Professor. 105. Machner Franz, Maschinführer. 106. Marouschek Wenzel, Tapezierer. 107. Matjeka Franz, k. k. Professor. 108. Matkay Anton, Maschinführer. 109. Matzenauer Karl, Gemeinderat. 110. Matzner Johann, Juwelier.

111. Matzner Heinrich, Restaurateur. 112. Meyer Emerich, Stationsmeister. 113. Dr. Meznik Karl, k. k. Professor. 114. Mikisch Franz, Magazinsmeister. 115. Mildner Karl, Stationsmeister. 116. Miklas Eduard, Mechaniker. 117. Miškař Franz, Schneider. 118. Mlczuch Josef, k.-k. Offizial. 119. Mück Karl, Stationsmeister. 120. Dr. Musil Johann, Oberverwalter. 121. Mutsam Karl, Maschinführer. 122. Naske Anna. 123. Nemetz Josef, Oberkondukteur. 124. Neugebauer Julius, Viehhändler. 125. Neumann Heinrich, Beamter, Unter-Themenau. 126. Neumann Heinrich, Glaser. 127. Neumann Heinrich, Wirtschafter. 128. Nowotny Anton. 129. Obsieger Eduard, Bäcker. 130. Ollearczyk Ladislaus, Maschinführer. 131. Dr. Oppenheim Oskar, Tierarzt 132. Dr. Ornstein Siegfried. 133. Pangratz Johann, Maschinführer. 134. Pektor Fabian, Schneider. 135. Pieschl Gustav, Schneider. 136. Pfeiffer Viktor, Ober-Baukommissär. 137. Pollaschek Rudolf, k. k. Finanzwachkommissär. 138. Popper Leo, Fabriks-Direktor. 139. Rainer Rudolf, Bankbeamter. 140. Rajewsky Alois, Bahnbeamter. 141. Ratschitzky Rudolf, Inspektor der k. k. Nordbahn. 142. Rauer Rudolf, Stationsmeister. 143. Rebensaft Mina. 144. Redlich Wilhelm, Kaufmann. 145. Reichl Anna. 146. Reiner Heinrich, Wildhändler. 147. Reiner Ulrich, Wildhändler. 148. Reiß Helene. 149. Ressel Emanuel, k. k. Oberkontrollor. 150. Rintsch Franz, k. k. Offizial. 151. Robitschek Isidor, Oberlehrer. 152. Röminger Heinrich, Baumeister. 153. Rosenbaum Otto, Fabrikant. 154. Rosenfeld Adolf, Bäcker. 155. Rösner Josef, Fabriksbeamter. 156. Rossak Ferdinand, Baumeister. 157. Röttel Adolf, Kaufmann. 158. Ružička Wenzel, Schmied. 159. Sachs Bernhard, Fabriksbeamter. 160. Dr. Sax Berthold. 161. Sax Henriette. 162. Schiep Ferdinand, Maschinführer. 163. Schipper Franz, Fabriksbeamter. 164. Schmitz Koloman, Kaufmann. 165. Schreiber Emil, Inspektor. 166. Dr. Schwenger Heinrich, Rabbiner. 167. Schultes Mathias, Kondukteur. 168. Schwendt Anton, Maschinführer. 169. Schwendt Ladislaus, Maschinführer. 170. Silberschütz Julius, Kaufmann. 171. Šimčik Josef, Friseur. 172. Spitz Johann, Kaufmann. 173. Stangl Gustav, Maschinführer. 174. Stangl Mathias, Maschinführer. 175. Stättner Rudolf, Oberkondukteur. 176. Stein Bernhard, Fabrikant. 177. Stein Berta. 178. Stein Emil. 179. Stěpan Gregor, Bahnbeamter. 180. Sternfeld Rudolf, Buchhändler. 181. Stockmann N., Kaufmann. 182. Stoklasek Josef, Friseur. 183. Straßberger Ludwig, Friseur. 184. Strauß Charlotte. 185. Striegl Johann, Altbürgermeister. 186. Striegl Eugenie. 187. Thim Karl, Buchhalter. 188. Thim Sophie. 189. Tief Josef, Maschinenmeister. 190. Tief Josef, Maschinführer. 191. Unger Isidor, Gastwirt. 192. Vielgut Moritz, Kaufmann. 193. Wachs Malvine. 194. Wachs Samuel, Fabriksbeamter. 195. Wazulik Franz, Maschinführer. 196. Weigl Johann, Fabriksbeamter. 197. Weiß Franz, Gastwirt. 198. Weiß Moritz, Vorstand. 199. Weiß Vinzenz, Kaminfeger. 200. Dr. Winkler Adolf, k. k. Professor. 201. Woble Emil, k. k. Steuerverwalter. 202. Wolf Robert, Maschinführer. 203. Wortmann Karl, Fabriksbeamter. 204. Wortmann Salomon, Oberbeamter. 205. Ženčica Wilhelm, Lehrer.

c) Spenden:

Se. Durchlaucht der regierende Fürst Johann von und zu Liechtenstein pro 1911	K 100·—
Stadtgemeinde Lundenburg	„ 600·—
Israel. Gemeinde Lundenburg	„ 100·—
Israel. Kultusgemeinde Lundenburg	„ 50·—
Israel. Frauen-Wohltätigkeitsverein	„ 50·—
Sparkassa in Lundenburg	„ 200·—
Kuffner'sche Lundenburger Zuckerfabriks-Aktiengesellschaft	„ 100·—
Zuckerraffinerie in Lundenburg	„ 50·—
Aus dem Erträgnisse des diesjährigen Parkfestes	„ 25·22

Außerdem trugen bei in Kronen:

P. T. Arthold Josef, Hausbrunn 2, — Bauer Adolf, Lundenburg 20, — Berger Johann, Lundenburg 2, — Beitl Franz, Taßwitz 2, — Blaha Josef, Ossowa 10, — Böchzelt Franz, Lundenburg 2, — Bohrn Franz, Herrnbaumgarten 10, — Brinda Anton, Boskowstein 3, — Bruszkay Heinrich, Feldsberg 2, — Busela Johann, Lundenburg 2, — Butschek Anton, Marchegg 5, — Dasché Tobias, Hohenau 20, — Deutsch Siegmund, Groß-Inzersdorf 3, — Dietzl Ferdinand, Sierndorf 3, — Ernst Freiherr von Dingelstdet, Ebental 10, — Drobilič Mathias, Bischofwart 1, — Eisinger Wilhelm,

36

Lundenburg 2, — Feldsberg Jakob, Herrnbaumgarten 2, — Fried Salomon, Lundenburg 2, — Baron Fries, Göding 10, — Fuhry Leopold, Poysdorf 4, — Gansinger Franz, Eisgrub 3, — Groß Hugo, Feldsberg 5, — Grusch Paul, Reinthal 2, — Güttler Ludwig, Lundenburg 3, — Ingenieur V. Haber, Hohenau 4, — Hagn Alois, Feldsberg 5, — Hájek Anton, Lundenburg 3, — Dr. Hecht Alois, Rabens- burg 5, — Herlinger Ludwig, Preßburg 4, — Direktor Herz, Lundenburg 3, — Huber Adolf, Trifail 5, — Jahn Franz, Lundenburg 2, — Jankowitsch Josef, Feldsberg 3, — Jeřabek Rudolf, Lundenburg 4, — Karl Ludwig, Haugsdorf 4, — Kassal Karl, Unter-Themenau 4, — Kaßner Oskar, Gr.-Pawlowitz 30, — Kellner Martin, Lundenburg 3, — Konetschny Mathias, Zistersdorf 5, — Dr. Körbel Hermann, Bihač 10, — Kos Elisabeth, Feldsberg 2, — Kreuzer Leopold, Lundenburg 2, — Kučera Johann, Lundenburg 5, — Kurka Johann, Bischofwart 2, — Kurtenacker Jos., Unter-Themenau 10, — Larisch Jakob, Lundenburg 2, — Lauche W., k. k. Regierungsrat, Eisgrub 30, — Dr. Löwy Hermann, Wolkersdorf 3, — Machner Franz, Lundenburg 2, — Malewsky Valerian, Feldsberg 1, — Matejka Josef, Eisgrub 2, — Matzner Josef, Hohenau 4, — Mayer Johann, Pulkau 10, — Mikisch Franz, Lundenburg 2, — Moser Josef, Wildendürnbach 4, — Mück Karl, Unter-Themenau 3, — Muthsam Karl, Lundenburg 3, — Nemetz Josef, Lundenburg 4, — Neugebauer Emilie 3, — Neugebauer Richard, Pesčenica-Lekenik 8, — Neumann Heinrich, Unter-Themenau 5, — Ollearczyk Ladislaus, Lundenburg 4, — Dr. S. Ornstein, Wien 20, — Patzl Rudolf, Feldsberg 2, — Pollak Anton, Eis- grub 2, — Pollaschek Rudolf, Lundenburg 5, — Prinz Michael, Feldsberg 6, — Rajewsky Alois, Lundenburg 4, — Ratschitzky Rudolf, Lundenburg 5, — Rauer Rudolf, Lundenburg 3, — Professor Dr. Josef Redlich, Wien 25, — Reichel Rudolf, Feldsberg 3, — Rint Robert, Ameis 3, — Rossak Gustav, Lundenburg 5, — Schimetta Johann, Angern 5, — Dr. Schmitz Franz, Mistelbach 20, — Schneider Julius, Feldsberg 4, — Schultes Anton, Rabensburg 5, — Schultes Anton, Eisgrub 3, — Schultes Mathias, Lundenburg 5, — Schwendt Ladislaus, Lundenburg 3, — Schwetz Karl, Lands- hut 10, — Sowa Theresia, Hohenau 5, — Stangel Gustav, Lundenburg 6, — Stark Max, St. Johann 5, — Stättner Rudolf, Lundenburg 2, — Steiner Wilhelm, Saitz 5, — Stĕpan Gregor, Lundenburg 5, — Dr. S. Stern, Poysdorf 5, — Straka Emilie, Retz 5, — Strobl Mathias, Spannberg 2, — Tiefenbacher Franz, Klosterneuburg 6, — Tretter Johann, Pratsch 2, — Tutschek Michael, Laa 5, — Watzal Vinzenz, Taßwitz 5, — Watzulik Franz, Lundenburg 1, — Weiniger Siegfried, Hosterlitz 10, — Werksdirektion der Tonwarenfabrik Unter-Themenau 10, — Wessely Josef, Ober-Bojanowitz 3, — Ing. Wiesner Franz, Ung.-Hradisch 5, — Wirmsberger Johann, Wien 4, — Woble Emil, Lunden- burg 2, — Würth Ferdinand, Lundenburg 2, — Žeňčica Wilhelm, Unter-Themenau 5.

Summe . . . . 578 K

Vereinsleitung:

Eduard Goldschmied, Oberlehrer i. R., Obmann. Dr. Georg Fidrmuc, k. k. Notar, Obmann-Stellvertreter. Dr. Oskar Firbas, k. k. Gymnasial-Professor, Schriftführer. Heinrich Koller, Gemeinderat, Kassier.

Ausschußmitglieder: Engelbert Mucher, k. k. Gymnasial - Professor. Med.-Dr. Berthold Sax. Emil Schreiber, Inspektor.

Vereinstätigkeit:

An Geldunterstützungen erhielten:

2 Schüler je 15 K monatlich, 5 Schüler je 10 K und 12 Schüler je 5 K. . . . . 1400 K
Für arme Schüler des Gymnasiums: Schulgeld 90 K. . . . . 90 „
An Speisemarken wurden verabreicht . . . . 550 „

Zusammen . . . . 2040 K

Außerdem wurde die Verabreichung der Mittag- und Abendkost an arme Gymnasiasten durch die Unterstützung folgender P. T. Damen und Herren ermöglicht:

Adler Gustav (1), Bartosch Adolf (1), Čapek A. (1), Černy Karl (1), Cvrček August (1), Eiermann Eduard (1), Direktor Elsner (1), Dr. Fidrmuc Georg (1), Gerstberger Franz (1), Gold Ferdinand (1), Grosser Arnold (1), Direktor Hanaczek (1), Ober-Direktor Hauser (1), Hoffmann Josef (1), Holländer Josef (1), Holländer Moritz (2), Jurka, Wirt (2), Kafka Eduard (1), Kafka Franz (1), Kit- litschka Franz (1), Kočička Johann (1), L. von Kuffner (2), Kuntscher Edmund (1), Matzenauer Karl (1), Minkus Eduard (2), Neugebauer Julius (1), Robitschek Isidor (1), Röminger Heinrich (1), Rosenfeld Adolf (1), Röttel Adolf (1), Dr. B. Sax (1), Schreiber Emil (1), Silberschütz Julius (1), Strauss Charlotte (1), Striegl Johann (1), Unger Isidor (2), Weißkopf Jokob (1), Wimmer Rudolf (2), Winter Moritz (1), Wortmann Salomon (1). Summa . . . . 46 Kosttage wöchentlich.

Die vielen und namhaften Spenden sind uns eine Gewähr dafür, daß unser Wirken gewürdigt und verstanden wird. Indem wir im Namen der armen Studenten allen Wohl- tätern herzlich danken, sprechen wir noch den Wunsch aus, es mögen unserem Vereine die alten bewährten Freunde erhalten bleiben und stets neue Gönner erstehen.

Die Vereinsleitung.

C) Schülerlade.

An Bücherspenden sind eingelaufen von mehreren Herren Professoren 37 Stück, von einzelnen Schülern 18 Stück, von den Verlagsbuchhandlungen 52 Stück.

Im verflossenen Schuljahre wurden 163 Schüler mit 1832 Lehrbüchern versehen, einzelne Schüler erhielten Lupen, mehrere Schüler Schreibrequisiten, Hefte, Zeichenpapier, Blocks und Ständer, sowie Farben und andere Zeichenrequisiten; mehrere Schüler wurden mit Turnschuhen, einzelne mit kleinen Geldunterstützungen beteilt. Fünf Schülern wurde die Badekarte gekauft und um auch unbemittelten Schülern die Gelegenheit der Teilnahme am Fechtunterrichte und an den scharfen Schießübungen zu bieten, wurden für die Schülerlade zwei vollständige Fechtgarnituren beschafft und scharfe Schießmunition beigestellt.

Am 6. Februar 1912 wurde zugunsten der Schülerlade eine Akademie veranstaltet, an welche sich ein Tanzkränzchen schloß, um dessen Zustandekommen sich die Schüler der VIII. Klasse besonders verdient gemacht haben; dieselben übergaben dem Direktor den Reinertrag von 661 K. Dieses erfreuliche Ergebnis ist sowohl dem zahlreichen Besuche als auch den namhaften Überzahlungen zuzuschreiben, wofür die Direktion an dieser Stelle den verbindlichsten Dank ausspricht. (Die Namen jener Wohltäter anzuführen ist die Direktion heuer leider nicht in der Lage, da durch ein sehr unliebsames Versehen die Liste den Schülern an der Kassa verloren gieng.)

a) Einnahmen:

Von Herrn E. Aufricht, Fabrikant in Wien	100 K	—	h
Unbehobene Fundgelder	1 „	10	„
Von Herrn Havliček in Unterthemenau	4 „	—	„
Vom Abiturienten Hromada	20 „	—	„
Von Herrn Dr. S. Ornstein in Wien	10 „	—	„
Von Sr. Hochwürden Herrn Pfarrer Franz Sedlaček	10 „	—	„
Von der verehrlichen Sparkassa in Lundenburg	100 „	—	„
Ergebnis der Weihnachtssammlung	241 „	50	„
Reinertrag des Schülerkränzchens	661 „	—	„
Aktivrest vom Vorjahre	— „	33	„
Summe	1147 K	93	h

b) Ausgaben:

Anschaffung von Büchern	693 K	42	h
Anschaffung von Schulrequisiten	77 „	53	„
Buchbinderarbeiten	169 „	10	„
Instrumente, Reparatur, Noten, Saiten	47 „	18	„
Anschaffung von Fechtrequisiten, Munition	78 „	94	„
Für mittellose Schüler in Barem	39 „	40	„
Portoauslagen	41 „	34	a
Summe	1146 K	91	h

Deutsche Klassikerbibliothek der Schülerlade.

Ausweis vom Jahre 1910/11: Stand 157 gebundene Exemplare.

Die Gymnasialdirektion fühlt sich verpflichtet, allen Wohltätern und Gönnern der Anstalt im Namen der beteilten Schüler den wärmsten Dank auszusprechen mit der Bitte, auch in Zukunft der Anstalt dieses Wohlwollen zu bewahren.

VII. Schulhygiene und Förderung der körperlichen Ausbildung.

A) Jugendspiel.

Die Jugendspiele, mit deren Einübung und Leitung der Turnlehrer E b e r s h a r d t betraut wurde, fanden am Dienstag und Freitag statt.

Außerdem leitete Dr. Franz B á c h seit Ostern eine Fußballmannschaft am Mittwoch und Samstag. Gespielt wurde auf einer von der Gemeinde zugewiesenen Wiese im Ausmaße von 2 Stunden. Während der rauhen Witterung, mit Ausnahme der Schlittschuhzeit, wurde statt der Spiele das Kürturnen gepflegt.

42 Schüler nahmen wegen zu großer Entfernung (2 14 *km*) nicht am Spiele teil.

17 Schüler waren aus Gesundheitsrücksichten vom Turnen befreit und spielten daher nicht.

Im Sommer beeinträchtigte die Beteiligung der Schüler der Oberklassen am Baden, Schwimmen und Rudern, am Fechten und Schießen den Spielbesuch.

Es spielten an 47 Spieltagen in 94 Spielstunden 2020 Schüler; also durchschnittlich 43.

Edgar E b e r s h a r d t.

B) Baden, Schwimmen, Eislaufen.

Zur Pflege des Badens, zur Erlernung des Schwimmens und Eislaufens ist in Lundenburg infolge seiner Lage an der Tháya so ausreichend durch die lokalen Anstalten vorgesorgt, daß hiezu besondere Vorkehrungen seitens der Direktion nicht notwendig sind. Nachdem aber der neue Lehrplan fordert, daß in den ersten 2 Klassen Schwimmvorübungen durchgenommen werden, hat der Turnlehrer die Nichtschwimmar der unteren Klassen im Winter 6mal zu 1$\frac{1}{2}$ Stunden zum Trockenschwimmunterricht vereinigt. Im Juni nahm er 14 Schüler an die Leine, um die Vorübungen in die Praxis umzusetzen.

Die Freischwimmerprüfung wurde untzr Mithilfe des Dr. Karl M e z n i k vorgenommen.

C) Fechten.

Der Fechtunterricht begann in den ersten Tagen des Monates Oktober; er wurde an zwei Tagen der Woche (Mittwoch, Samstag) abgehalten und währte im ersten Semester an jedem dieser Tage je zwei Stunden, im zweiten Semester je eineinhalb Stunden. Die Anzahl der Teilnehmer betrug im Anfauge 20. Davon schied im Laufe des ersten Semesters ein Schüler wegen völliger Nichteignung aus, im Laufe des zweiten Semesters ein Teilnehmer wegen mangelhaften Fortganges an den obligaten Gegenständen, ein zweiter wegen eines organischen Leidens, zwei, welche die Anstalt verließen, so daß seit der zweiten Hälfte des Monates März die Anzahl der Teilnehmer 15 beträgt. Dementsprechend konnte die Dauer des Unterrichtes von je 2 Stunden auf je 1$\frac{1}{2}$ Stunden herabgesetzt werden. Das Fechten mit dem italienischen Säbel stand im Mittelpunkte des Unterrichtes. Der Unterricht im Florettfechten wurde erst nach der Mittelschüler-Konkurrenz aufgenommen, welche im April laufenden Schuljahres stattfand, jedoch besteht die Absicht, bei einer genügenden Anzahl von Meldungen schon bei Beginn des Schuljahres 1912/13 das Fechten mit dieser Waffe für die Anfänger einzuführen.

Von der Mittelschüler-Konkurrenz, veranstaltet von der Akademie der Fechtkunst, an welcher zwei Schüler der Oktava teilnahmen, gelang es dem Schüler Viktor Gold nach drei Assauts in die erste Kategorie, d. i. die jener Fechter, welche bereits hei einer Akademie einen Preis davontrugen, aufzusteigen. In dieser Kategorie erwarb er die Medaille in Bronze.

Dr. Adolf W i n k l e r.

D) Rudern.

An dem Rudern nahmen auch heuer die Schüler sehr eifrig Teil, sodaß 66 Ausfahrten mit 260 Ruderern erzielt wurden. Auch im Winter hörte das Rudern nicht völlig auf; selbst im Jänner und Feber wurde ausgefahren. Die längste Dauerfahrt ging bis zum Rabensburger Wehr; trotz vielfacher Hindernisse, quer über dem Fluß liegenden Baumstämmen, endlosen Windungen und einer rapiden Strömung wurde die Hin- und Rückfahrt in 5 Stunden absolviert. Litt auch der Ruderbetrieb sehr unter notwendig gewordenen Reparaturen, so wurde doch anderseits durch die Munifizenz des Unterrichtsministeriums, welches eine Subvention von 400 K zur Verfügung stellte, der Bootspark um ein Doppelskull (mit Steuermann) vermehrt. Dadurch ist es jetzt möglich geworden, die Schüler auch in der schönsten und gesündesten Art des Ruderns, im Skullen, zu üben. Das Boot wurde der Frau Gymnasialdirektor Kohn zu Ehren Helene getauft. — Die stete Fürsorge, welche die Stadtgemeinde Lundenburg ihrem Gymnasium angedeihen läßt, brachte heuer der Schülerriege das schönste Geschenk seit ihrem Bestande, ein eigenes Bootshaus. In unmitelbarster Nähe der Thaya erhebt sich der aus Gemeindemitteln errichtete Bau, dessen Inneres unsere Schüler nach Kräften auszuschmücken trachten. Endlich ist das Schülerrudern ganz auf eigene Füße gestellt und aus seiner bisherigen Abhängigkeit befreit worden! Das Inventar wurde selbstverständlich bedeutend vermehrt: 1 Tisch, 4 Stühle, 1 Schaff, 1 Kanne, 1 Schwamm, 1 Rehhäutel, 1 Spiegel, Bücher, Zeitschriften, Bilder usw. wurden neu angeschafft und die Kosten zum Teil aus einer Spende des Gymnasialunterstützungsvereines, dem hiefür wärmster Dank gebührt, bestritten.

Ebenso sei der Stadtgemeinde Lundenburg, deren Stadtväter sich in so weiser und freigebiger Art der heranwachsenden Jugend annehmen, durch den Leiter des Schülerruderns der beste Dank ausgesprochen.

Unter den Ruderern gebührt den Schülern Arthold, Buzerla, Naske und Schimetta wegen ihres Fleißes, ihrer Ausdauer und musterhaften Führung eine Anerkennung.

Dr. Oskar F i r b a s.

E) Schießübungen.

14 Schüler nahmen an den Schießübungen teil, die unter der Leitung des Turnlehrers Ebershardt vom 1. Oktober 1911 bis 31. Mai 1912 zu 2 Stunden wöchentlich stattfanden. Am 1. Dezember 1911 wurde ein Übungsmarsch behufs Distanzschätzen nach Reintal gemacht.

Am 1. Juli führte der Übungsleiter die Schießübenden nach Brünn, um sie auf der k. k. Militärschießstätte im scharfen Schießen zu erproben. — Edgar E b e r s h a r d t.

F) Ausflüge.

Der allgemeine Schülerausflug fand am 5. Juni statt.

Vorbereitungs- und I. Klasse: Nach Feldsberg durch die Waldungen. Dem Herrn Förster Kreitschi sei an dieser Stelle für die freundliche Bewirtung der Schüler bestens gedankt. Dr. Franz B a c h, Franz M a t j e k a.

II. Klasse. Von Lundenburg Bahnfahrt nach Poppitz, hierauf Wanderung durch die Wälder der Pollauer Berge nach Nikolsburg, von hier Rückfahrt mit der Eisenbahn.

Engelbert M a c h e r.

III. Klasse: Abmarsch vom Schlosse durch den Saugarten nach Eisgrub, wo Mittagsrast gehalten wurde. Dann Besuch des babylonischen Turmes. Rückweg über Apollotempel längs der Bahnlinie Feldsberg—Eisgrub nach Saugarten. Dr. M. E. G a n s.

Am 4. und 5. Juni 1912 führte Professor F i r b a s 29 Schüler der Quarta und Tertia im Anschluß an den Geographieunterricht auf den Schneeberg. Der Aufstieg erfolgte durch die Weichtalklamm, der Abstieg durch die Eng.

V. Klasse. Spaziergang durch den Saugarten und Theimwald nach Feldsberg.

Adolf K u k u l a.

VI. Klasse. Bahnfahrt Lundenburg – Znaim; Wanderung durch das Thayatal, Sala-mandertal über Neuhäusl, Kaja nach Retz. Bahnfahrt Retz–Znaim–Lundenburg.

Dr. Karl Meznik.

VII. Klasse. Waldspaziergang nach Eisgrub. Dr. Adolf Winkler.

VIII. Klasse. Ausflug nach-Eisgrub und Feldsberg. Rudolf Reich.

Weitere Ausflüge fanden statt:

Am 20. April die IV. Klasse nach Eisgrub. Rudolf Reich.

Am 4. Mai die II. und III. Klasse nach Feldsberg. Schloßbesichtigung.

Viktor Frank.

Am 9. Juni die VII. Klasse nach Feldsberg. Dr. Josef Opletal.

Besuch der internationalen Flugausstellung in Wien.

Am 11. Juni hielt Prof. Karollus den Schülern der oberen Klassen einen-Vortrag über die wichtigsten Prinzipien und Typen der Motorballons und Flugmaschinen. Nächsten Tag mittags traten unter seiner Führung 31 Obergymnasiasten die Reise nach Wien an, um die „Ifa" zu besuchen. Nach eingehender Besichtigung der ausgestellten neuesten technischen Wunderwerke, die ebensoviel Interesse wie Fragen weckten, ging es in den immer lustigen Prater. Von hier, nach kurzem und heiterem Zeitvertreib, in die unterhaltend belehrende Urania. Ein anregender kulturhistorischer Vortrag: „Durch Wiens Stätten des Humors und der Gemütlichkeit", wirkungsvoll belebt durch zahlreiche farben-prächtige Bilder, nahm fast den ganzen Rest der-knapp bemessenen Aufenthaltszeit in Wien in Anspruch.

Dank gebührt der Direktion der „Ifa" für die bereitwilligst eingeräumte, beträchtliche Ermäßigung der Eintrittspreise und dem Vorstand des hiesigen Bahnhofes, dessen freund-liches Entgegenkommen und Eingreifen ein angenehmes Reisen ermöglicht haben.

F. Karollus.

Prof. Dr. Oskar Firbas unternahm folgende Ausflüge:

1. Schülerreise in die Alpen: Auch heuer unternahm Prof. Dr. Oskar Firbas mit 9 Schülern des Obergymnasiums eine Reise in die Alpen, welche diesmal die Teilnehmer zuerst nach Klagenfurt und zum Wörthersee, dann von Alt-Prags auf den Dürrenstein (2840 m), dann nach einer Nächtigung in Ospitale durch das wildromantische Trarenanzestal über die Tofanascharte (2588) zum Falzaregopas führte. Hierauf wurde der Nuvolau bestiegen und im Sachsendankhaus genächtigt. Von Piere stieg man über die Passo Padou (2366 m) zur Babenbergerhütte auf dem Fedaya. Professor Tasser, den die Schüler auf dem Nuvolau trafen, führte am nächsten Tag die Schwächeren über den aussichtsreichen Bindelweg zum Pordoijoch, während Prof. Firbas mit 4 Schülern und 1 Führer die Besteigung der Mar-molata (3344 m) und den Abstieg zum Contrinhaus durchführte. In Arnazei nächtigten beide Gruppen und gingen am nächsten Tag durchs Wajolettal zur Wajolethütte und ins Rosen-gartl. Der letzte Wandertag brachte den Aufstieg zum Tschagerloch (2644) und den Abstieg zur Köllnerhütte. Angesichts der Ortler- und Ötztalergruppe fiel der Abschied von den Alpen doppelt schwer. Nun begann der Abstieg ins Eggental und von Welschnofen in die Oggenschlucht. In Bozen folgte noch ein Ausflug auf die Wirgl und nach Runkelstein, dann fuhren die Teilnehmer nach 8tägiger Wanderung in die Heimat zurück.

2. Am 5. November 1911 Ausflug von 22 Schülern der Tertia in die Pollauer Berge.

3. Am 6. Jänner 1912: Führung von 18 Schülern der Sexta zur Belebung des Geschichtsunterrichts nach Kreuzenstein.

4. Am 2. Februar 1912: Ausflug mit 9 Schülern der Quinta in die Pollauer Berge.

5. Am 28. April 1912: Gleichfalls mit 26 Schülern der Sekunda in die Pollauer Berge.

Der Turnlehrer Ebershardt führte folgende Ausflüge und Besichtigungen: Am 15. Oktober 1911: Die V. Klasse auf die Pollauer Berge.

22. Oktober: Die VII. Klasse zum Rendez-vous und Feldsberg und zurück.

3. November: Die III. Klasse nach Neuhof, Rampersdorfer Allee, Feldsberg und zurück.

26. November: Die Vorbereitungsklasse in den Saugarten. Besichtigung der Wildschweine. Geländespiele.

28. November: Die VIII. Klasse. Besichtigung des Lundenburger Malz- und Bräuhauses.

1. Dezember: Marsch der Schießübenden nach Reinthal. Distanzschätzen. Besichtigung eines Weinkellers.

17. Dezember: Die I. Klasse zum Rendez-vous und Feldsberg. Geländespiele.

19. Dezember: Mit der V. und VI. Klasse Besichtigung der Lundenburger Zuckerfabrik.

9. Jänner 1912: Die V. Klasse nach Feldsberg und zurück bei — 15 Grad.

5. März: Die II. Klasse zur Besichtigung der Bau- und Künsttischlerei H e i d u k.

10. April: Die VII. Klasse. Besichtigung des Lundenburger Malz- und Bräuhauses.

19. Juni: Die VI. Klasse. Besichtigung des Schlachthauses. Schlachtung; Schächtung; Eingeweidelehre. Mikroskopische Untersuchung der Erreger der Fleischvergiftung.

1. Juli: Fahrt nach Brünn mit den Schießübenden zum scharfen Schießen. Besichtigung der Sehenswürdigkeiten der Stadt.

29. u. 30. Juni: Mit einigen Schülern der Oberklassen auf die Rax. — Abfahrt schon am Vortage mittags nach Payerbach. Marsch bis zum Weichtal-Turistenheim. Nächtigung daselbst. — Aufstieg über den Alpenvereinssteig zum Ottohaus, Seeweg, Seehütte, Kreuz auf der Preinerwand, Bismarksteig, Karl Ludwig-Haus, Bärengraben Wildfährte, Binder-Wirtshaus. Nächtigung. — Über den Naßriegel zum Naßkamm, Aufstieg über das zahme Gamseck zur Heukuppe. Abstieg über Lackenhoferhütte, Reißthalersteig in die Prein.

Edgar E b e r s h a r d t.

Die Direktion des k. k. Staatsgymnasiums spricht den Besitzern und Direktoren der obgezeichneten Etablissements, sowie dem Herrn Dr. O p p e n h e i m für Ihr Entgegenkommen den besten Dank aus.

Unter den Schülern befinden sich

In der	Teilnehmer am Jugendspiel		Im Freien Badende		Frei-Schwimmer		Schlittschuhläufer		Radfahrer		Ruderer		Teilnehmer am			
													Fechten		Schießen	
	Zahl	%	Zahl	%	Zahl	%	Zahl	%	Zahl	%	Zahl	%	Zahl	%	Zahl	%
Vorb.-Kl.	25	85·61	20	67	7	25	21	69	2	6·8	2	6·8	—	—	—	—
I. Kl.	35	74·4	16	34	21	44·6	39	82·9	16	34	26	55·3	—	—	—	—
II. Kl.	28	70	24	60	18	45	30	75	12	30	10	25	—	—	—	—
III. Kl.	12	41·37	25	83·3	26	86·6	27	87	12	41·37	4	13	—	—	—	—
IV. Kl.	12	41	28	96·5	22	75·8	26	89·6	14	48·2	14	48·2	—	—	—	—
V. Kl.	11	52·3	21	100	17	89·5	17	89·5	12	57·1	7	33·3	3	14.3	—	—
VI. Kl.	14	70	20	100	18	90	18	90	16	80	10	50	4	20	—	—
VII. Kl.	12	52·17	22	—	19	—	22	—	15	—	12	—	7	—	11	—
VIII. Kl.	12	66·6	18	100	16	88·8	10	56·1	15	83·3	9	50	5	27·7	3	16·6

VIII. Chronik.

Am 7. und 8. Juli wurden die Aufnahmeprüfungen abgehalten.

Vom 10. bis 12. Juli fanden die mündlichen Reifeprüfungen unter dem Vorsitze des Herrn Gymnasialdirektors Ernst Severa statt.

Am 16. und 18. September 1911 wurden die Aufnahmeprüfungen und Wiederholungsprüfungen für das neue Schuljahr abgehalten, worauf am 18. September das Schuljahr mit dem feierlichen *Veni sancte*-Hochamte begonnen wurde und am 19. September der regelmäßige Unterricht begann.

Am 27. September fand unter dem Vorsitze des Herrn k. k. Landeschulinspektors Regierungsrates Karl Ritter von Reichenbach die Reifeprüfung im Herbsttermine statt.

Am 4. Oktober wohnte die katholische Schuljugend mit dem Lehrkörper dem feierlichen Gottesdienste anläßlich des Namensfestes Sr. Majestät des Kaisers in der Anstaltskapelle, die israelitischen Schüler im Tempel bei.

Am 9. November nachmittags und am 10. November vormittags empfingen die katholischen Schüler der Anstalt die hl. Sakramente der Buße und des Altars. Beide Halbtage waren unterrichtsfrei.

Vom 14. bis 16. November inspizierte der Herr k. k. Landesschulinspektor Karl Ritter von Reichenbach den Unterricht in den humanistischen Fächern.

Am 17. November inspizierte der Herr k. k. Landesschulinspektor Wilhelm Miorini Edler von Sebentenberg den Unterricht in den realistischen Fächern.

Am 18. November wurde als Gedächtnisfeier für weiland Ihre Majestät Kaiserin Elisabeth für die katholischen Schüler in der Anstaltskapelle, für die Israeliten im Tempel ein Gottesdienst abgehalten, welchem auch der Lehrkörper beiwohnte.

Am 22. November beendigte der Herr k. k. Landesschulinspektor Karl Ritter von Reichenbach die Inspektion in den humanistischen Fächern und hielt die Konferenz über die gemachten Wahrnehmungen ab.

Vom 23. Dezember 1911 bis 2. Jänner 1912 dauerten die Weihnachtsferien.

Am 10. Februar 1912 wurde das I. Semester mit der Verteilung der Semestral-Ausweise geschlossen.

Am 10., 11. u. 12. April wurden die österlichen Exerzitien abgehalten und den katholischen Schülern die hl. Sakramente des Altars und der Buße gespendet.

Vom 3. bis 9. April dauerten die Osterferien.

Am 3. April inspizierte der Herr Fachinspektor, k. k. Turnlehrer Franz Schrott, den Turnunterricht.

Am 10. Juni inspizierte der Herr Fachinspektor, k. k. Professor Alois Machatschek, den Unterricht im Freihandzeichnen.

Am 30., 31. Mai, 1. und 2. Juni inspizierte der hochw. Herr bischöfliche Religionskommissär, Stadtpfarrer Franz Sedlaček, den Unterricht in der katholischen Religion und wohnte dem Schulgottesdienste und der Exhorte bei.

Am 15. Juni starb in Wien nach mehrmonatlichen Leiden der Abiturient Ernst Reich, ein braver Schüler, der zu den schönsten Hoffnungen berechtigte, am 18. Juni wurde derselbe von seinen Mitschülern unter Führung der Klassenvorstände zur letzten Ruhe geleitet. Er ruhe in Frieden.

Vom 18. bis 20. Juni dauerten die schriftlichen Reifeprüfungen.

Vom 22. bis 28. Juni wurden die Versetzungsprüfungen abgehalten.

Am 24. und 25. Juni erhielten die katholischen Schüler der Anstalt die hl. Sakramente der Buße und des Altars. Beide Halbtage waren unterrichtsfrei.

Am 5. Juli wurde das Schuljahr nach dem Gottesdienste mit der Zeugnisverteilung geschlossen.

B) Das Innere der Schule.

I. Unterricht.

a) Zahl der wöchentlichen Lehrstunden der einzelnen Gegenstände nach dem Lehrplan für Gymnasien mit obligatem Turnunterrichte und Zeichenunterrichte am Untergymnasium.

	Vorb.	I	II	III	IV	V	VI	VII	VIII
				K l a s s e					
Religionslehre	2	2	2	2	2	2	2	2	2
Unterrichtssprache	12	4	4	3	3	3	3	3	3
Lateinische Sprache	—	8	7	6	6	6	6	5	5
Griechische Sprache	—	—	—	5	4	5	5	4	5
Geschichte	—	—	2	2	2	3	4	3	3
Geographie	—	2	2	2	2	1	—	—	—
Mathematik	4	3	3	3	3	3	3	3	2
Naturgeschichte	—	2	2	—	—	3	3	—	—
Physik und Chemie	—	—	—	2	3	—	—	4	3 (4)
Philosophische Propädeutik	—	—	—	—	—	—	—	2	2
Freihandzeichnen	3*	3	3	2	2	—	—	—	—
Schreiben	2	1	—	—	—	—	—	—	—
Turnen	2*	2	2	2	2	2	2	2	2

*) Unobligat.

II. Lehrplan.

Obligate Gegenstände.

1. Vorbereitungsklasse.

In der Vorbereitungsklasse wurde der Unterricht nach den von der Gymnasialdirektion ausgearbeiteten und vom hohen k. k. Landesschulrate für Mähren mit Erlaß vom 7. September 1900, Z. 12.612, genehmigten Lehrplane erteilt, welcher den Lehrstoff der 4. und zum Teile der 5. Klasse der allgemeinen Volksschule umfaßt.

2. Gymnasium.

Der Unterricht wurde nach dem Normallehrplan des Gymnasiums (Verordnung des Ministers für Kultus und Unterricht vom 30. März 1909, Z. 11.662) durchgeführt, daher hier nur der Lesestoff aus der deutschen Sprache, die Schullektüre, der Memorierstoff und die Privatlektüre aus den klassischen Sprachen sowie die Themen der Aufsätze und Redeübungen angeführt werden.

I. Deutsche Sprache.

A) Lesestoff aus der deutschen Sprache im Obergymnasium.

V. Klasse.

Lektüre nach dem Lesebuch von Bauer-Jelinek-Pollak-Streinz V. — Schullektüre: I. Proben aus der althochdeutschen und mittelhochdeutschen Literatur, teils in Übersetzungen, teils im Original, besonders aus Nibelungenlied, Gudrun, Minnesangs Frühling, Walter von der Vogelweide, Ulrich von Lichtenstein, Neidhart von Reuental, Freidank, den Volksliedern. — II. Zeitlich nicht gebundener Lesestoff: Balladen, Romanzen, poetische Erzählungen, Proben moderner Prosa.

VI. Klasse.

Lektüre nach dem Lesebuch von Jelinek-Pollak-Streinz VI. — Schullektüre: I. Proben aus der neuhochdeutschen Literatur von Luther bis 1794 mit besonderer Rücksicht auf die Klassiker; Lessing „Minna von Barnhelm“. — II. Zeitlich nicht gebundener Lesestoff: Proben aus der Weltliteratur in Übersetzungen, aus moderner Prosa; Grillparzer „Der arme Spielmann“. — Privatlektüre: Goethe „Götz von Berlichingen“, „Egmont“; Schiller „Don Carlos“; Shakespeare „Hamlet“.

VII. Klasse.

Lektüre nach dem Lesebuch von Lampel VII. und VIII. — Schullektüre: Goethe „Iphigenie“; Schiller „Maria Stuart“, Grillparzer „Sappho“. — Privatlektüre: Goethe „Tasso“, „Hermann und Dorothea“; Schiller „Wallenstein“, „Jungfrau von Orleans“, „Wilhelm Tell“; Grillparzer „Ahnfrau“, „König Ottokars Glück und Ende“, „Der Traum ein Leben“; Ludwig „Zwischen Himmel und Erde“.

VIII. Klasse.

Lektüre nach dem Lesebuch von Lampel VIII. — Schullektüre: Proben aus Lessings „Laokoon“ und „Hamburgischer Dramaturgie“; Goethe „Hermann und Dorothea“; Grillparzer „Ahnfrau“. — Privatlektüre: Goethe „Faust I“ (Auswahl); Kleist „Hermannsschlacht“; Grillparzer „Das goldene Vlies“, „König Ottokars Glück und Ende“, „Des Meeres und der Liebe Wellen“.

B) Themen der sehriftlichen Arbeiten.

Die mit Sternchen bezeichneten Arbeiten waren Schularbeiten.

V. Klasse.

*1. Die Rolle der Elfen nach gelesenen Balladen. — 2. Die Boten des Herbstes. — *3. Die Bedeutung des Hortes in der nordischen Nibelungensage. — 4. Das Idyllische in Ovids „Philemon und Baucis“. — *5. Gunthers „Brautwerbung um Brünhilde“. — *6. Die Treue im mittelhochdeutschen Volksepos. —

7. „Der Österreicher hat ein Vaterland
Und liebt's und hat auch Ursach', es zu lieben.“

(Schiller „Wallensteins Tod.“)

*8. „Die gîtegen unt die richen
Sol man dem iner gelichen:
Swie vil zem mere wazzers gê,
Es hete doch gerne wazzers mê.“

(Freidank „Bescheidenheit.“).

9. „Dem Wandersmann gehört die Welt
In allen ihren Weiten.“   (Rückert „Wanderlied.“)

*10. „Jugend ist Saatzeit.“

VI. Klasse.

*1. „Alamode — Kleider, alamode — Sinnen:
Wie sich's wandelt außen, wandelt sich's auch innen." (Logau.)
2. Mundart und Schriftsprache. — *3. Gellerts „Prozeß" und Lafontaines „Pest unter den Tieren." (Vergleich.) — 4. „Viribus unitis" verdient mit Recht der Wahlspruch von Österreichs Völkern zu sein. — 5. Warum leiht das Elfenpaar in Wielands „Oberon" Hüon und Rezia seine Hilfe? — 6. Was stellen nach Lessings „Laokoon" die bildenden Künstler, was die Dichter dar? — 7. a) Der Strom, das Bild eines bedeutenden Menschen. —
b) „Edel sei der Mensch,
Hilfreich und gut." - (Goethe „Das Göttliche.")
*8. „Gold! ach wärest du nicht, wir genössen des goldenen Alters!
Du nur, leidiges Gold, brachtest die eiserne Zeit." (Haug, Epigramme.)
9. a) Die Vertreter des Soldatenstandes in Lessings „Minna von Barnhelm". — b) Georg und Franz in Goethes „Götz von Berlichingen". —
*10. „Treu in Pflicht,
Wahr im Rat,
Fest in Tat."

VII. Klasse.

*1. Der Einfluß Iphigeniens auf die Taurier in Goethes Schauspiel. —
2. „Des Herbstes mag sich freuen,
Was eine Frucht getragen,
Da, was nur Blätter trägt,
Vor seinem Hauch muß zagen." (Rückert.)
*3. Worin zeigt sich die Vaterlandsliebe Hermanns in Goethes Epos? — 4. a) Die Entwicklung des Verkehrswesens. — b) Das Aufblühen Wiens unter der Regierung unseres Kaisers. — *5. „Wie das Gestirn,
Ohne Hast,
Aber ohne Rast,
Drehe sich jeder
Um die eigene Last." (Goethe „Zahme Xenien.")
*6. Die Freier der Jungfrau von Orleans in Schillers Tragödie. — 7. a) Trennen Gebirge auch heute noch die Völker? —
b) „Gibt's schön're Pflichten für ein edles Herz,
Als ein Verteidiger der Unschuld sein,
Das Recht der Unterdrückten zu beschirmen?"
(Schiller „Wilhelm Tell.")
*8. Die Schuld Jaromirs in Grillparzers „Ahnfrau". — 9. a) Warum vergönnen die Götter in Grillparzers „Sappho" der Heldin nur „zu nippen an dieses Lebens süß umkränzten Kelch"? — b) Phaons Stellung zwischen Sappho und Melitta. —
*10. „Mitten wir im Leben
Vom Tod umfangen sind."

VIII. Klasse.

*1. a) Die Darstellung des Schönen durch die Künste nach Lessings „Laokoon". — b) Der Glockengießer in Schillers „Lied von der Glocke". —
2. „Des Lebens Mühe
Lehrt uns allein des Lebens Güter schätzen." (Goethe „Tasso.")
*3. Welche Bedeutung hat die Regelung von Flußläufen? — 4. a) Warum feiern wir die Gedenktage großer Männer? —
b) „Wenn du hast, das ist wohl schön,
Doch du mußt es auch verstehn,

K ö n n e n, das ist große Sache,
Damit das W o l l e n etwas mache."

(Goethe „Zahme Xénien.")

*5· „Dein ist die Saat und der Fleiß, drum dein der Lohn des Bewußtseins,
Aber wie Regen und Tau träuft von den Höhn der Erfolg."

(Grillparzer „Votivtafeln.")-

*6. Kultur und materieller Wohlstand. —

7. „O gutes Land! O Vaterland! Inmitten
Dem Kind Italien und dem Manne Deutschland
Liegst du, der wangenrote Jüngling, da."

(Grillparzer „König Ottokar.")

*8· Das Donautal als Verkehrsstraße.

C) Redeübungen.

In der V. und VI. Klasse wurden die Redeübungen nach Bedarf, meist im Anschluß an Gelesenes gehalten.

VII. Klasse.

1. Annette von Drüste-Hülshoff. (Mayer Karl-Salentinig Josef.) — 2. Goethe als Natur-forscher. (Czerny Artur-Naske Rudolf.) — 3. Ganghofer. (Thim Walter-Groß Robert.) — 4. Richard Wagner „Meistersinger." (Ornstein Hans - Tannenberger Franz.) — 5. Ibsen „Wenn wir Toten erwachen." (Schreiber Franz-Thim Karl.) — 6. Wolfgang Amadeus Mozart. (Tannenberger Franz-Ornstein Hans.) — 7. Das Nibelungenlied. (Naske Rudolf-Mayer Karl.) — 8. Wallenstein in der Geschichte und in Schillers Drama. (Wachs Karl-Wessely Karl.) — 9. Begriff und Bedeutung der Rasse. (Philipp Rudolf-Czerny Artur.) — 10. Goethe „Clavigo." (Matejka Hermann-Dingelstedt Ernst Frh. v.) — 11. Rudolf von Habsburg. (Badura Karl-Pfeiffer Rudolf.) — 12. Über das Bestattungswesen. (Beitl Johann-Terk Rupert) — 13. Die Schlacht bei Dürnkrut. (Dingelstedt Ernst Freih. v.-Matejka Hermann.) — 14. Scheffel „Ekkehard." (Groß Robert-Thim Walter.) — 15. Leben und Lehre Buddhas. (Helia Franz-Rosenfeld Paul.) — 16. Shakespeare. (Neugebauer Richard-Helia Franz.) — 17. Die Götter-welt der alten Deutschen. (Pfeiffer Rudolf-Terk Rupert.) — 18. Der spanische Absolutismus und die Niederlande. (Rosenfeld Paul-Neugebauer Richard.) — 19. Dante „Göttliche Ko-mödie." (Schultes Matthias-Zimmermann Friedrich.) — 20. Nikolaus Lenau, ein Charakterbild. (Salentinig Josef-Philipp Rudolf) — 21. 100 Jahre Elektrotechnik. (Thim Karl-Dingelstedt Ernst Freih. v.) — 22. Friedrich Ludwig Jahn. (Terk Rupert-Beitl Johann.) — 23. Der Fauststoff. (Wessely Karl-Wachs Karl.) — 24. Johann Gregor Mendel. (Zimmermann Friedrich-Schultes Matthias.)

VIII. Klasse.

1. Überblick über die deutsche Literatur in Wien und Niederösterreich. (Czuczka Walter-Weiniger Viktor.) — 2. Grillparzer „Weh dem, der lügt." (Gold Vikter-Reiß Walter.) — 3. Grillparzers Verhältnis zur Musik. (Karl Johann-Stangl Richard.) — 4. Das deutsche Volkslied. (Dietzl Franz.) — 5. Lessing „Emilia Galotti " (Reiß Walter-Gold Viktor.) — 6. Shakespeare „Macbeth." (Weiniger Viktor-Goldschmid Ernst.) — 7. Theodor Körner in Österreich. (Altbach Bruno-Jellinek Erwin) — 8. Zum 100. Todestage Heinrich von Kleists. (Popper Benno-Czuczka Walter.) — 9. Josephus Flavius. (Steiner Bernhard-Weiniger Viktor.) — 10. Nikolaus Lenau. (Goldschmid Ernst-Arthold Josef) — 11. Berthold Auerbach. (Jellinek Erwin-Altbach Bruno.) — 12. Die Geschichte des Briefes. (Kurial Franz-Hnatović Heinrich.) — 13. Der Konflikt zwischen Vater und Sohn in Schillers Dramen. (Arthold Josef-Popper Benno.) — 14. Die Brüder Grimm. (Tretter Rupert-Steiner Bernhard.)— 15. Das griechische Musikdrama. (Lisec Johann-Pangratz Johann.) — 16. Franz Defregger. (Pangratz Johann-Lisec Johann.) — 17. Heinrich Heine und Richard Wagner. (Stangl Richard.) -- 18. Die Tiroler Freiheitskämpfe. (Hnatović Heinrich-Kurial Franz.)

Dr. Karl M e z n i k.

II. Lateinische Sprache.

a) Schullektüre.

III Klasse: J. Golling: Chrestomathie aus Cornelius Nepos und Q. Curtius Rufus. Nepos: I. Miltiades. II. Themistokles. III. Aristides. IV. Cimon VI. Epaminondas. VII. Pelopidas. Curtius Rufus: I. Alexanders Jugend. IV. Alexanders Zug nach Asien. V. Schlacht am Granikus. VI. Alexander löst den gordischen Knoten. VIII. Alexanders Erkrankung infolge eines Bades. XII. Wie der Gärtner Abdalonymus König wird. XV. Zug zum Orakel des Juppiter Hammon. Cicero: X. b. Verres und die Segestaner.

IV. Klasse: Caesar, b. Gall. I, IV, VI.

V. Klasse: Ovid (Schulausgabe von J. Golling) — Metam.: 1. Inhalt der Metamorphosen. 3. Die vier Weltalter. 5. Deukalion und Pyrrha. 6. Phaëthon. 12. Niobe. 15. Dädalus und Ikarus. 17. Philemon und Baucis. 21. Midas. — Fasti: 1. Widmung. 3. Euander, Herkules und Kakus. 5. Arion. 7. Romulus Quirinus. 14. Ludi Cereales. — Trist.: 2. Abschied von Rom. 9. Iphigenie auf Tauris. — Epist. ex Ponto: 4. Orestes und Pylades. — Caesar, b. Gall. VII. 1—14. 68.—90. — Livius: I. XXI. 1—24 32—42. 52—57.

VI. Klasse: Sallust: bell. Cat. — Cicero: in Catilinam I. — Vergil: (Golling) Aen. I., II., IV. 1—415; Ecl. I., V. Georg. II., 3.

VII. Klasse: Cicero: pro Milone; Auswahl aus den philosophischen Schriften: somnium Scipionis, de natura deorum II 75 104, de officiis I 74—140, III 1—49. Plinius d. Jüngere: Auswahl aus den Briefen: I 1, 5, 9, 13, II 17, III 5, V 6, VI 16, 20, VIII 16, IX 6; ep. ad Traian.: VIII f., XXXIII f., XXXVIII f., XCVI f. Catull: carm. 1, 2, 3, 5, 13, 22, 46, 49, 51, 70, 72, 84, 87 u. 75, 76, 101. Tibull: 1, IV 4, IV 13. Properz: I 7, III 26, IV 5, IV 10, IV 21, V 11.

VIII. Klasse: Tacitus: Germ. c. 1—27; Ann. I, 1—15, 72— 81; II. 1—43, 59—67; III, 1—19; IV, 1—13, 52—60. Horaz: Carm. I 1, 2, 3, 7, 10, 11, 14, 18, 20, 22, 37. II 3, 7, 10, 13, 14, 17, 20. III 1—6, 9, 13, 21, 30. IV. 3, 7, 9. Epod. 2, 7, 13. Sat. I 1, 4, 9. II 6. Epist. I 1, 10.

b) Memorierstoff.

I. Klasse: Einzelne Sentenzen und kurze Lesestücke: De Roma, de equo, ranae et mures, alauda, lupus et capra, tres tauri, viatores et asinus, uva et vulpes.

II. Klasse: Einzelne Sinnsprüche und kleine Lesestücke: Equus et aper, mures et feles, de Themistocle, de Biante Prienensi, quid prosit scientia, quam grato animo fuerit Philippus, quantopere Philippus et Alexander Aristotelem honoraverint, senex et mors, de Daedalo et Icaro.

III. Klasse: Themistokles VII. Epaminondas. VIII. (13—24) Alexanders Erkrankung. III. (10—17). Ferner sämtliche Korrekta der lateinischen Schularbeiten.

IV. Klasse: Caesar b. Gall. I 1. IV. 17. VI 13. 16—17. 21—22.

V. Klasse: Ovid: Verse und größere Abschnitte zur Einübung des Hexameters. 1. Inhalt der Met. 3. Die vier Weltalter 1—30. 6. Phaëthon 1 - 20. Fasti, 1. Widmung 1—10. Livius: I c. 24, 1—3. c. 25. c. 43, 1—9. XXI. c. 4.

VI. Klasse: Sall. bell. Cat. c. 1. — Cic. in Cat. I. 1, 33. Verg. Aen. I. 1—11, 198—206; II. 1—13, 324—326. Ecl. I. 1—25.

VII. Klasse: Plinius ep. V 6, § 1—7 VI 16, § 4—7. — Catull. carm 46, 51. — Tibull: IV, 13.

VIII. Klasse: Tac. Germ. cap. 32 (discordia Germanorum). — Hor. carm. I 1, 22, III 30.

c) Schriftliche Übersetzungen.

I. Semester:	II. Semester:
V. Klasse: Ovid, Fasti IV. 819—838.	Livius XXI. 44, §§ 1—5. 8.
VI. Klasse: Cicero, pro Murena, § 78 audite bis § 79 restiterunt.	Vergil. Aen. V. 700—720.
VII. Klasse: Cicero de off III. 86 f.	Properz II. 11.
VIII. Klasse: Tac. Ann. II 26, 27 bis aequi iuris.	Horaz, Sat. I. 6. 45—64.

d) Privatlektüre.

V. Klasse: Aufricht, Caes. b. G. III. 1—10. Berg, Caes. b. Gall. II. 1—35. V. 14—30. Ovid (Schulausgabe von J. Golling), Fast. 9.—Bohrn, Ovid. Met. 2.-4. 31, Fast. 9. 17. 20, Trist. 3. 9, Ars am. 1, Appendix 1—10. Prinz, Lat.-Lesebuch 1—36 (ohne die Stücke aus Nepos und Curtius Rufus). Burian, Ovid. Met. 4, Fast. 2, App. 1—4. Livius (Schulausgabe von J. Golling), Anhang 7 10. Buzerla, Ovid. Fast. 9, App. 1. 2. 6. 9. Cassel, Ovid. Met. 13, Fast. 4, Livius Anh. 12. 13. Friedrich, Caes. b. G. III. Ovid. Fast. 10. App. 2 4. Livius XXI. 25—30. Anhang 9. 10. Prinz, Lat. -Lesebuch, 13. 18. 29. 31. 32. 35—37. 49. 62. 66—68. 84. Kubina, Ovid. Trist. 3. Liv. XXII. 5—10. Lauche, Ov. Met. 10. Ps. Caesar—Hirtius b. G. VIII. 1—15. Litsch- mann, Caes. b. G. V. 10—20. Ovid. Fast. 2. 4. 9. Löwy, Caes. b. G. II. 1—20. Ovid. Fast. 2. Trist. 11. Am. 1. Nawratil, Ov. Met. 25. Obsieger, Liv. XXII. 5—10. 15—20. Perschl, Ovid. Met. 19. 23. 25. 27. 31. Fast. 1—5. 9. 10. 13. 17 20. Trist. 3. Am. 1. 4. Appendix 1 10. Ps. Caes.-Hirtius, b. G. VIII. 1—11. Liv. Anhang 7. 9. 10. Ratschitzky, Ovid. Met. 25. 29. Fast. 4. 9. Trist. 3. Am. 1. App. 2. 4—9. Liv. XXII. 5—10. 15 - 20. Reiner, Ovid. Met. 10. Liv. XXI. 15—19. 24—29. XXVII. 19. XXX. 19—20. Prinz, Lat. Leseb.: wie Friedrich. Schimetta, Ov. Met. 4. Fast. 4. 9. 20. Trist. 3. App. 1—10. Liv. Anhg. 7. 8. 10. 12. 14. Schmitz, Ov. Met. 18. App. 1—10. Liv. V. 19—49. Schulhof, Ov. Met. 21. Fast. 9. 10. Tutschek, Ovid. Met. 2. 4. 13. 31. Fast. 9. Trist. 1. 4. Liv. Anh. 7—9. Watzal, Ovid. Fast. 8. App. 1. 2. 4. 9. Steiner, Ovid. Fast. 20. Ars am. 1. Liv. „die „Stücke zur Einleitung in die Lektüre" aus dem II. B. Prinz, Lat. Leseb. 1—36 (ohne die Stücke aus Nepos und Curtius Rufus).

VI. Klasse: Fidrmuc Friedrich, Sall. bell. Iug. c. 70—114.—Vergil, Aen. III. 457 —618. Heiek Franz, Sall. bell. Jug. 1—30. Ovid Met., Gründung Thebens. Verg. Ecl. IV. Herlinger Max, Cic. in Cat. II. Kassner Oskar, Verg. Ecl. IV., VII. Sall. bell. Jug. 30—70. Schreiber Kurt, Cic. in Cat. II, IV. Caes. de bello Gall. VIII. Ovid (Golling) Anhang. Spitz Otto, Cic. in Cat. IV., Caesar de bello civ. III. 84—103. Aen. III, Verg. Ecl. IV, Georg. I. 204—310. Stern Rud., Sall. or. Lepidi, aus R Gall's Chrestomathie: Phaedrus, Martial, Cic. Briefe. Strauß Oskar, Verg. Georg. II 2, III 1 (Golling). Tiefenbacher Walter, Verg. Georg. II 319—346, III 179—208.

VII. Klasse: Badura, Cicero de imp. Cn. Pompei, pro Archia poeta. Beitl, Cicero pro Archia poeta. Cerny, Phaedrus fab. liber I, Nepos vita Attici, Catull carm. 11, 31, 36, 44. Mayer, Cicero pro Archia poeta. Naske, Cicero pro Archia poeta. Neugebauer, Aus Ciceros Briefen: Ad Atticum II 22, III 3, VII 4, 11, ad Quint. fratrem I 3, ad fam. IV 5, XI 1, XII 3, XV 5. Pfeiffer, Cicero pro Archia poeta. Schreiber, Cic. pro Archia poeta. Schultes, Justinus B 43, monumentum Ancyranum.

VIII. Klasse: Altbach Bruno, Tac. Germ. II. Teil. Arthold Josef, Tac. Ann. IH 19—26, III 26—40, Hor. carm. I 4, 6, 12, 17, 21, 26, 31, II 8, 15, 18, III 16, 21, 29. Gold Viktor, Hor. carm. II 8, 15, III 18, 21, IV 5. Goldschmid Ernst, Plinius (Kukula), 1—3, 5, 9, 20, 25, 27, 32, 33, 34, 36, Hor. carm. I 6, 15, 17. Jellinek Erwin, Tac. Germ. II 7, Vergil, Georg. II 2, III 2, IV 2, Hor. carm. I 12, 17, 26. III 18, 25, IV 5, 15. Kurial Franz, Plinius Briefe (Schuster), 1—8, Hor. carm. I 15, II 8, 15, IV 5. Popper Benno, Tac. Germ. II. T., Hor. carm. I 21, 29, 31, II 1, 9, 15, III 18, 23, 25. Stangl Richard, Hor. carm. I 15, II 8, 15, IV 5.

III. Griechische Sprache.

a) Schullektüre.

V. Klasse: Xenophon (Kornitzer-Schenkl) Anabasis: I (I. 1 u. 2, 1—4) II (I. 4, 11—19, 5, 6), III (I. 7, 8), V (II. 5, 6), VI (III. 1, 2), VII (IV. 1—3). Kyrup. I (I. 2, 1—15), II (I. 3, 4, 1—3). Memorabilia III (Apom. II. 1, 21—34). Hom. Ilias (Christ) I, II.

VI. Klasse: Homers Ilias IV, VI, XI, XVI, XVIII, XXII. Herodot, Vorrede, I. 1—4, 5, 23, 24, 28—33, 204—214. II. 2, III. 14—15, 39—43, 119, 120—125, V. 35—38,

49 – 54, 97, 99—126, VI. 14—21, VII. 131–144, 172–177, 198 –238. Plutarch, Caes. 1–10, 57–68.

VII. Klasse: Homer Od. I 1—75, V, VI, VII, IX, XIII, XVI. Dem. Phil. I, Olynth I. Plat. Apol.

VIII. Klasse: Plato: Apologie, Kriton, Laches. Sophokles: Antigone. Homer: Odyssee XXI, XXII (ex abrupto XIV 1—322).

b) Memorierstoff.

III. Klasse: Einzelne inhaltreiche Sätze und Sprüche.

IV. Klasse: Einzelne Sentenzen und Erzählungen.

V. Klasse: Homer Ilias I, 1—21, 37–42, 120—130:

VI. Klasse: Homer Ilias. VI. 405—465, XVIII. 478—490. Herod. Vorrede. I. 5., VII 140, 220. Plut. Caes. 7.

VII. Klasse: Homer, Od. I, 1–10, VI. 40–45; 165–168, IX. 19—20. Dem. Phil. I § 1; Plato Apol. c. 19.

VIII. Klasse: Plato ,Schulausg. v. A. Th. Christ`: Apologie Kap. III bis $\tau\alpha\tilde{\upsilon}\tau\alpha$ $\delta\iota\delta\acute{\alpha}\sigma\kappa\omega\nu$. Kap. XI bis $\ddot{\epsilon}\kappa\alpha\sigma\tau o\nu$ $\dot{\epsilon}\xi\epsilon\tau\acute{\alpha}\sigma\omega\mu\epsilon\nu$. Sophokles (Schulausg. v. Schubert-Hüter): Antigone 100—126, 450 464.

c) Schriftliche Übersetzungen.

V. Klasse: 1. Xenophon Anab. IV. 4. (Schenkl. VIII. 7–12). — 2. V, 8. (X. 8—12). — 3. Ilias. V. 46—83 (Christ. 39—59.) — 4. a) XXII. 247—267; b) XIX. 145—163.

VI. Klasse: 1. Hom. Il. VII. 65—86. — 2. a) Hom. Ilias XII. 196—218; b) XV. 390—414. — 3. Herod. V. 97. — 4. Herod. IX. 22—23, 5.

VII. Klasse: 1. Hom. Od. IV. 170—190 (Christ.) 2. Hom. Od. X 49—71 (Christ). — 3. Hom. Od. XVII 26—48 (Christ). — 4. Dem. Chersonesrede § 73—76. — 5. Plat. Symp. c. 36 $\ddot{o}\tau\epsilon$ $\gamma\grave{\alpha}\rho$ bis $\dot{\alpha}\mu\upsilon\nu\epsilon\tilde{\iota}\tau\alpha\iota$. — 6. Plat. Phaid. c. 3. bis $\kappa o\pi\tau o\mu\acute{\epsilon}\nu\eta\nu$.

VIII. Klasse: 1. Plato: Symposion, Kap. XXXV=(Schulausg.). Plato: Protagoras, Kap. XXXV (352 B—O $\dot{\alpha}\lambda\eta\vartheta\tilde{\eta}$). 3. Plato: Phaidon, Kap. LXIV.(Von $O\dot{\upsilon}$ $\pi\epsilon\acute{\iota}\vartheta\omega$, $\tilde{\omega}$ $\ddot{\alpha}\nu\delta\rho\epsilon\varsigma$ bis Schluß des Kap.). 4. Sophokles: König Oedip. .707—730. 5. Sophokles: Aias 485—489, 496–513. 6. Homer: Odyss. VIII. 485–513.

d) Privatlektüre.

VI. Klasse: 1. Balwin, Herod. IX 90 - 106. 2. Grünbaum, Herod. VI 25 31, 43—45, VIII 121—125. 3. Herlinger, Hom. Il. XIX 1 - 160, Herod. III 153—159, VIII 121—125. 4. Huber, Herod. VI 25—31, 43—45, VIII 121 - 125. 5. Kassner, Hom. Il. VIII 1—100. Haupt, Hellas: Hes. Theog. 75—103. "$E\rho\gamma\alpha$ $\kappa\alpha\grave{\iota}$ 'H$\mu\acute{\epsilon}\rho\alpha\iota$ 42—201. Theokrit, IX. und XXI. Idylle. 6. Rintsch, Aus Thumsers Chrestomathie: Äsop. Fabeln (1—21), Claudius Aelianus, d. nat. an. 1, 2, 4, 5, v. h. 9, 10, 12. 7. Schipper, Nov. Testam. Graec.: Markusevangelium, Herod. VIII 121—125. 8. Schreiber, Hom. Il. VIII 1—100. Aus Thumsers Chrest. Äsop. Fabeln. Herod. VI 43—45, VIII 1—26, 121—125, 140—145, IX 78—88. 9. Spitz, Ps. Hom. Batrachomyomachie. Herod VIII 40 - 96. Aus Thumsers Chrestomathie: Äsop. Fabeln, Xen. Oec. IV 20—25. Rep. Lac. VIII. Hellen. VII 5, 4—25. Arrian, I. 13—16. 10. Stern, Haupt, Hellas: Sprüche des Theognis; Sappho, Liebeslied; Anakreontea. 11. Strauß, Äsop. Fabeln, Hom. Ilias XIII 1—100. Herodot III 153—159, VIII 121—125. 12. Strobl, Herod. VIII 121—125, 140—45. 13. Tiefenbacher, Herod. VI. 43—45, VIII 121—125.

VII. Klasse: Alle Schüler: Hom. Od. XVII; außerdem: Badura Karl: Hom. Od. XI; Beitl Joh.: Hom. Od. XVIII; Czerny Artur: Plat. Kriton, Od. XIV; von Dingelstedt Ernst: Hom. Od. XII; Matejka Herm.: Schlußkap. des Phaidon. Naske Rudolf: Hom. Od. VIII, XIX; Neugebauer Richard: Od. XIX; Pfeiffer Rudolf: Hom. Od. XIX. Salentinig Josef: Hom. Od. IV, XII; Schreiber Franz: Od. XIX, Plat. Kriton; Philipp Rudolf: Dem. Olynth. II.

VIII. Klasse: Arthold: Sophokles, König Oedipus, 1—350. Czuczka: Plato, Sympos. Kap. 32—37; Soph., Aias 1—90. Goldschmid: Homer, Odyssee XV. Karl: Xenophon, Apomn. I 1, 1—20; 2, 1—18; 49—55, 62—64. Steiner: Xenophon, Hellen I, 1 u. 2.

IV. Israelitische Religion und Hebräisch.

I. u. II. Klasse: Religion, Glaubenslehre, über das Gebet. Fest- und Fasttage nebst deren Bedeutung. Bibl. Geschichte: Offenbarung am Sinai, die Wüstenwanderung, Moses Tod, Josua, die Richterzeit bis zur Regierungszeit des Königs Saul.

III. u. IV. Klasse: Zusammenfassung der Glaubens- und Pflichtenlehre des Judentums, vom öffentlichen Gottesdienst, die Quellen der israel. Religion, die Offenbarungslehre. Bibl. Geschichte: Regierung Sauls, Davids, Salomons, Bau des Tempels, Teilung des Reiches; Könige von Juda und Israel. Salmanassar führt das israel. Volk in die assyrische Gefangenschaft. Die Samaritaner. Nebukadnezar. Zerstörung des Tempels, das babyl. Exil.

V. u. VI. Klasse: Von der Zerstörung des ersten Tempels bis zur Zerstörung des zweiten Tempels. (586 vor — 70 n. d. g. Z.) Daniel, Esra und Nekemia. Esther. Die Makkabäer. Die Juden unter eigenen Herrschern. Die römischen Landpfleger. Untergang des Reiches.

VII. u. VIII. Klasse: Die Tanaim. Das Gaonat in Babylon. Das Aufblühen der jüdischen Literatur in Spanien. Moses Maimonides. Die Religions-Disputationen. Die Juden in Europa im Mittelalter. Die neuere Zeit. Die Juden in Österreich Ungarn. Von Mendelssohn bis auf die Gegenwart.

I. u. II. Klasse: Genesis Kap. I, II 1—3, XXVIII 10—22, XXXII 4—13, XXXVII, XLVIII 15—16. Übersetzung von Gebetstücken aus dem Frühgebet.

III. u. IV. Klasse: Exodus Kap. III 1—15, XIX 1—8, XX 1—17, XXII 20—27, XXIII 1—17, XXXIV 1—10, Leviticus Kap. XIX, XXIII, Numeri Kap. VI, 22—27. X 35 36, XV 37—41. Übersetzung von Gebeten für die Festtage.

V. u. VI. Klasse: Deuter. Kap. IV 1—17, V. 1—18, VI, VII, X 12—22, XIV 22—29, XV, XVI, XIX, XXII 1—12, XXIV 10—22, XXV 13—19, XXVI, XXVIII, XXX. Gebetpsalmen Kap. CXX—CXXVIII.

VII. u. VIII. Klasse: Jesaia Kap. I, II 1—5, V 1—7, VI, XI 1—12, XL, LIV, LV, LVIII. Gebetpsalmen. Kap. XIX, XXXIV, XC, XCI, XCII, XCII, C, CXXXV, CXLV, CL.

V. Relativobligate und freie Lehrgegenstände.

a) Böhmische Sprache.

I. Kurs (I. Klasse): Einführung in die Formenlehre aller Redeteile: die Deklination der Substantiva und Adjektiva; Komparation; der Nominativ des Personal- und Possesivpronomens; die Grund- und Ordnungszahlen bis 100 im Nominativ; Hilfszeitwort; regelmäßige Konjugation der Verba; die wichtigsten Praepositionen. Übungen im Sprechen und Nacherzählen auf Grund des Lehr- und Übungsbuches; Memorieren von leichteren Stücken und Gedichten; vom Dezember angefangen alle 4 Wochen eine Schularbeit.

II. Kurs (II. Klasse): Wiederholung und Ergänzung des Lehrstoffes der I. Abteilung; Adverbien und ihre Steigerung; Vorwörter; Syntaktische Ergänzung der Lesestoffes; Sprechübungen und Nacherzählen auf Grund des Übungsstoffes mit besonderer Berücksichtigung des praktischen Bedarfes; Memorieren von inhaltlich wichtigen Stücken und kleineren Gedichten; Pflege der böhmischen Konversation; alle 4 Wochen eine Schularbeit.

III. Kurs (III.-IV. Klasse): Wiederholung und Erweiterung der Formenlehre. Eigentümlichkeiten in der Deklination der Substantive, die Deminutiva und Eigennamen. Die Adjektiva possessiva. Komparation der Adjektiva und Adverbia. Das Pronomen und Numerale. Die sechs Konjugationen des Verbums und seine verschiedenen Aktionsarten.

Schriftliche und mündliche Übersetzungsübungen. Memorieren. Von 3 zu 3 Wochen abwechselnd eine Haus- und Schularbeit.

IV. Kurs (V.—VIII. Klasse): Wiederholende und vertiefende Durcharbeitung der Formenlehre und der wichtigsten syntaktischen und stilistischen Erscheinungen im Anschlusse an die Lektüre. Memorierübungen. Übersicht der böhmischen Literatur. Von 3 zu 3 Wochen abwechselnd eine Haus- und eine Schularbeit. — Bei der Lektüre wurden erzählende prosaische und poëtische Stücke gewählt, besprochen, wie auch die geschichtlichen, geographischen, naturwissenschaftlichen Lesestücke. Verwendet wurde das Lehrbuch von Dr. Karl Schober.

b) Französische Sprache.

1. Kurs für die Schüler des Obergymnasiums. Lehrbuch: Boerner-Kukula, Lehr- und Lesebuch der französischen Sprache, sowie Hauptregeln der französischen Grammatik. Nach der notwendigen Einführung in die Phonetik und Aussprache wurden unter steter Beziehung auf die lateinische, deutsche und griechische Grammatik die wichtigsten Teile der Formenlehre durchgenommen. Vorgang induktiv. Theoretische Zusammenfassung erst am Schlusse größerer Abschnitte. Auf diese Weise wurden besprochen die wichtigsten Regeln über den formalen und synt. Gebrauch des Artikels (namentlich die Lehre von Teilungsartikel und von der Auslassung des Artikels), Substantiv, Adjektiv, Numerale, Pronomen, und die 4 Klassen des verbe regulier.

In jedem Semester 3 Schul- und 3 Hausarbeiten.

Unterrichtssprache, soweit es möglich war, französisch.

c) Freihandzeichnen am Obergymnasium.

Erklärung des Baues des menschlichen Kopfes und Zeichnen desselben nach Gipsmodellen. Malen (in Aquarell) von Stilleben. Skizzierübungen im Freien.

d) Stenographie.

I. Abteilung (IV. und V. Klasse): Korrespondenzschrift (Wortbildung und Wortkürzung mit besonderer Rücksicht auf die Sigel); Leseübungen nach dem Lehrbuch von L. Krcek und vom II. Semester an nach der stenographischen Beilage zu den mähr.-schles. Blättern für Stenographie; Schreibübungen an der Tafel, wobei die übrigen Schüler mitschrieben; gegen Schluß Niederschreiben zusammenhängender Stücke nach langsamem Diktat.

II. Abteilung (V.—VII Klasse): Wiederholung der Korrespondenzschrift; Debattenschrift, Lehre von der Satzkürzung; Leseübungen nach dem Lehrbuch von L. Krcek und nach der stenographischen Beilage zu den mähr.-schles. Blättern für Stenographie; Schreibübungen an der Tafel und im Heft mit allmählich gesteigerter Geschwindigkeit.

e) Gesang.

I. Kurs (Vorb. bis I. Klasse): Kenntnis des Notensystems und der Taktarten, Kenntnis der Tonarten und Tonleitern in *Dur* und *Moll*. Ein- und zweistimmige Gesänge.

II. Kurs (II.—IV. Klasse): Drei- und vierstimmige Lieder und gemischte Chöre.

III. Kurs (V.—VIII. Klasse): Gemischte und Männerchöre.

Maturitätsprüfungen.

I. Sommertermin 1911.

Die mündlichen Maturitätsprüfungen wurden im Sommertermine 1911 unter dem Vorsitze des Herrn k. k. Gymnasial-Direktors Ernst Sewera und im Herbsttermine 1911 unter dem Vorsitze des Herrn k. k. Landesschulinspektors Karl Ritter von Reichenbach abgehalten.

	Öffentl.	Priv.	Extern.
Zur Reifeprüfung haben sich gemeldet	21	—	4
„ „ wurden nicht zugelassen . . . —	1	—	—
Vor der mündlichen Prüfung sind zurückgetreten	—	—	3
Bei der in der Zeit vom 10. bis 12. Juli 1911 abgehaltenen mündlichen Reifeprüfung erhielten:			
ein Zeugnis der Reife mit Auszeichnung	6	—	—
ein Zeugnis der Reife	15	—	1
wurden reprobiert:			
auf ein halbes Jahr	—	—	—
auf ein ganzes Jahr	—	—	1
auf unbestimmte Zeit	—	—	—
Während der mündlichen Prüfung sind zurückgetreten	—	—	—
Zusammen . . .	21	—	1

II. Herbsttermin 1911.

	Öffentl.	Priv.	Extern.
Zur Reifeprüfung haben sich gemeldet	—	—	1
„ „ wurden nicht zugelassen	—	—	—
Vor der mündlichen Prüfung sind zurückgetreten	—	—	—
Bei der am 30. August 1911 abgehaltenen mündlichen Reifeprüfung erhielten:			
ein Zeugnis der Reife mit Auszeichnung	—	—	—
ein Zeugnis der Reife	—	—	—
wurden reprobiert:			
auf ein halbes Jahr	—	—	—
auf ein ganzes Jahr	—	—	—
auf unbestimmte Zeit	—	—	—
Während der mündlichen Prüfung sind zurückgetreten . . .	—	—	1
Zusammen . . .	—	—	1

III. Februartermin 1912

	Öffentl.	Priv.	Extern.
Zur Reifeprüfung haben sich gemeldet	—	—	—
Vor der mündlichen Prüfung sind zurückgetreten	—	—	—
Bei der am . . . . abgehaltenen mündlichen Reifeprüfung erhielten:			
ein Zeugnis der Reife	—	—	—
wurden reprobiert	—	—	—
Während der mündlichen Prüfung sind zurückgetreten	—	—	—
Zusammen . . .	—	—	—

Ergebnis der Maturitätsprüfung 1911/12.

	Öffentl.	Priv.	Extern.
Der Prüfung unterzogen sich	21	—	1
Hievon reif mit Auszeichnung	6	—	—
Reif	15	—	—
Reprobiert	—	—	—

IV. Sommertermin 1912.

Zur Ablegung der Maturitätsprüfung haben sich 18 öffentliche Schüler und 5 Externe gemeldet.

Die schriftlichen Prüfungen wurden in der Zeit vom 18. bis 20. Juni abgehalten und den Abiturienten folgende Themen zur Bearbeitung vorgelegt:

I. Aus der deutschen Sprache:

1. Anteil Österreich—Ungarns am Weltverkehr.
2. „Wer fest auf dem Seinen beharrt, der bildet die Welt sich."

(Goethe, Hermann und Dorothea.)

3. Der Mensch kann die Naturkräfte nur nützen, nicht meistern.

II. Aus der lateinischen Sprache:

Vergil, Aen. XII. 554—592.

III. Aus der griechischen Sprache:

Demosthenes, Über die Angelegenheiten in Chersones, 19—23.

Die mündlichen Prüfungen werden laut Erlaß des k. k. Landesschulrates Brünn vom 6. Mai 1911, Z. 12.001, am 12., 13. und 15. juli 1912 unter dem Vorsitze des Herrn k. k. Gymnasialdirektors Stanislaus Schüller stattfinden.

Verzeichnis

der im Jahre 1911 approbierten Abiturienten.

Post-Nr.	Name	Studien-Eigen-schaft	Geburts-Ort und Vaterland	Datum	Über-haupt	an der Anstalt	Gewählter Beruf
			Des Abiturienten		**Studien-dauer in Jahren**		
1	Adler Friedrich	öffentl. Schüler	Pohrlitz, Mähren	24./VII. 1890	9	2	Medizin
2	Buchta Josef	„	Ringelsdorf, Niederösterreich	28./XII. 1899	9	9	Theologie
3	Burian Wilhelm	„	Polnisch-Ostrau, Schlesien	5./IV. 1892	9	9	Eisenbahn
4	Dietl Robert	„	Lundenburg, Mähren	1./II. 1891	10	10	Jus
5	Garcic Wenzel	„	Bischofwart, Niederösterreich	24./IX. 1888	9	9	Theologie
6	Gruber Johann	„	Niederabsdorf, Niederösterreich	14./XII. 1889	9	7	Eisenbahn
7	Haas Johann	„	Hürm, Niederösterreich	29./VIII. 1887	9	3	Kanzleifach
8	Hermann Johann	„	Zistersdorf, Niederösterreich	13./XII. 1889	9	9	Eisenbahn
9	Horak Franz	„	Lundenburg, Mähren	5./VIII. 1893	8	8	Jus
10	Hromada Josef	„	Nikolsburg, Mähren	12./II. 1891	10	3	Militär
11	Kothbauer Wilibald	„	Hohenau, Niederösterreich	8./VI. 1892	8	8	Bergwesen
12	Krubl Engelbert	„	Wostitz, Mähren	9./VI. 1891	8	3	Eisenbahn
13	Meyer Erwin	„	Ung.-Hradisch, Mähren	3./XII. 1892	8	8	Jus
14	Musil Ludwig	„	Wien, Niederösterreich	5./II. 1892	9	9	Bodenkultur
15	Püchler Max	„	Lundenberg, Mähren	10./I. 1893	8	8	Handelsfach
16	Schiep Ferdinand	„	Lundenburg, Mähren	2./IV. 1893	8	8	Bodenkultur
17	Sellner Friedrich	„	Wien, Niederösterreich	22./V. 1891	9	1	Medizin
18	Stark Hubert	„	Klutschau, Deutschland	25./X. 1893	8	8	Tierarznei
19	v. Voetter Viktor	„	Unghvár, Ungarn	19./V. 1890	10	1	Militär
20	Wengraf Fritz	„	Krems, Niederösterreich	24./X. 1891	9	3	Medizin
21	Wiesinger Julius	„	Altlichtenau, Niederösterreich	31./X. 1891	9	7	Tierarznei
22	Löwy Oskar	Externist	Wien, Niederösterreich	4./VII. 1892	8	—	Medizin

D) Religiöse Übungen.

Die Schüler nahmen an allen Sonn- und Feiertagen an dem Schulgottesdienste und an einer Exhorte, sowie an den österlichen Exerzitien teil. Den aus bestimmten Anlässen abgehaltenen feierlichen Gottesdiensten wohnten die Schüler in Begleitung des Lehrkörpers bei. Die heil. Sakramente der Buße und des Altars empfingen sie dreimal jährlich.

Die israelitischen Schüler nahmen an allen israelitischen Feiertagen am Gottesdienst teil, zum Teile wurde Jugendgottesdienst mit Exhorte abgehalten.

E) Verfügungen der vorgesetzten Behörden.

1. Erlaß des k. k. Ministeriums für Kultus und Unterricht vom 27. Juni 1911, Z. 25.681 (Int. mit dem k. k. L. S. R. Erlasse vom 19. Juli 1911, Z. 18.054): Neuer Lehrplan und Instruktion für das Turnen an Mittelschulen.

2. Erlaß des k. k. Ministeriums für Kultus und Unterricht vom 10. Juli 1911. Z. 22.162 (Int. mit dem k. k. L. S. R. Erlasse vom 24. Juli 1911, Z. 18.351): Prozentsatz der Hospitantinnen.

3. Erlaß des k. k. Ministeriums für Kultus und Unterricht vom 4. Juli 1911, Z. 10.330 (Int. mit dem k. k. L. S. R. Erlasse vom 29. Juli 1911, Z. 18.052): Schießunterricht durch Schützenvereine.

4. Erlaß des k. k. Ministeriums für Kultus und Unterricht vom 13. November 1911, Z. 32.630 (Int. mit dem k. k. L. S. R. Erlasse vom 2. Dezember 1911, Z. 33.539): Identitätsnachweis für Studierende bei Benützung von Fahrbegünstigungsanweisungen.

5. Erlaß des k. k. Ministeriums für Kultus und Unterricht vom 18. Dezember 1911, Z. 49.357 (Int. mit dem k. k. L. S. R. Erlasse vom 19. Dezember 1911, Z. 36 870): Freigabe des 23. Dezember 1911.

6. Erlaß des k. k. Ministeriums für Kultus und Unterricht vom 3. Februar 1912, Z. 8661 (Int. mit dem k. k. L. S. R. Erlasse vom 8. Februar 1912, Z. 3727): Schulferien.

7. Erlaß des k. k. Ministeriums für Kultus und Unterricht vom 25. Jänner 1912, Z. 41.566 ex 1911 (Int. mit dem k. k. L. S. R. Erlasse vom 15. Februar 1912, Z. 3995): Fachinspektion für den Turnunterricht.

8. Erlaß des k. k. Ministeriums für Kultus und Unterricht vom 4. März 1912, Z. 29.996 ex 1911 (Int. mit dem k. k. L. S. R. Erlasse vom 14. März 1912, Z. 7509): Klassenweise Erteilung des relativ obligaten Unterrichtes in der böhmischen Sprache.

9. Erlaß des k. k. Ministeriums für Kultus und Unterricht vom 13. April 1912, Z. 51.125 ex 1911 (Int. mit dem k. k. L. S. R. Erlasse vom 8 Mai 1912, Z. 11476): Dispens vor der Prüfung aus Turnen bei außerordentliche Prüfungen.

10. Erlaß des k. k. Ministeriums für Kultus und Unterricht vom 28. April 1912, Z. 14.145 (Int. mit dem k. k. L. S. R. Erlasse vom 19. Mai 1912, Z. 13.473): Alpines Notsignal.

11. Erlaß des k. k. Ministeriums für Kultus und Unterricht vom 18. Mai 1912, Z. 20.733 (Int. mit dem k. k. L. S. R. Erlasse vom 25. Mai 1912, Z. 14 694): Schulschluß am 5. Juli.

12. Auf Grund Allerhöchster Ermächtigung hat Se. Exzellenz der Herr Minister für Kultus und Unterricht mit dem Erlasse vom 24. Mai 1912, Z. 15.915 angeordnet, daß das Staatsgymnasium in Lundenburg vom Schuljahre 1912/13 an sukzessive in ein a c h t - k l a s s i g e s R e a l g y m n a s i u m, T y p e A, umgewandelt und daß in dem bezeichneten Schuljahre in der I. II. und III. Klasse der genannten Anstalt nach dem mit der Ministerialverordnung vom 8. August 1908, Z. 34.180 vorgeschriebenen Lehrplane unterrichtet werde. Als zweite lebende Sprache hat v o n d e r III. K l a s s e a n d i e f r a n z ö s i s c h e zur E i n f ü h r u n g zu gelangen.

IX. Verzeichnis

der Lehrbücher, Texte und Lehrbehelfe, welche im Schuljahre 1912/13 in Verwendung kommen.

Vorbereitungsklasse.

Großer Katechismus der katholischen Religion 1910—1906. K —·80.

Kummer-Branky-Hofbauer, Lesebuch für österreichische allgemeine Volksschulen, IV. Teil, 1908—1904. K 1·20.

Schmidt Johann, Deutsche Grammatik für die Vorbereitungsklassen der Mittelschulen. K 1· —.

Kraus-Habernal, Močniks Viertes Rechenbuch für Volksschulen, 1910—1904. K —·36.

I. Klasse.

Katechismus wie in der Vorbereitungsklasse.

Pauker Wolfgang Dr., Liturgik für Mittelschulen, 2. Aufl. K 1·50.

Willomitzer - Tschinkel, Deutsche Grammatik für Mittelschulen, 13. Aufl. K 2·40.

Bauer-Jelinek-Streinz, Deutsches Lesebuch für Mittelschulen. 1. Band. 2. Aufl. K 2·10.

Regeln und Wörterverzeichnis für die deutsche Rechtschreibung. K —·20.

Schmidt-Thumser, Lateinische Schulgrammatik. 11.—10. Aufl. K 2·40.

Dorsch-Fritsch, Haulers lateinisches Übungsbuch für die I. Klasse. Ausgabe C. K 1·20.

Becker-Mayer, Erdkunde. I. Teil. 2. Aufl. K 1·80.

Heiderich-Schmidt, Kozenns geographischer Schulatlas. 42. - 38. Aufl. K 8· —.

Schmidt Josef, Arithmetik u. Geometrie für die Unterstufe der Mittelschulen. 1. Heft. K 1·80.

Latzel Robert Dr., Pokornys Tierkunde. 29.—26. Aufl. K 4· —.

Latzel Robert Dr. und Mik Josef, Pokornys Pflanzenreich. 22. Aufl. K 2·80.

II. Klasse.

Katechismus
Liturgik
Deutsche Grammatik
Regeln und Wörterverzeichnis
} wie in der I. Klasse.

Bauer-Jelinek-Streinz, Deutsches Lesebuch für Mittelschulen. 2. Band. 2. Aufl. K 2·50.

Schmidt-Thumser, Lateinische Grammatik, wie in der I. Klasse.

Dorsch-Fritsch, Haulers lateinisches Übungsbuch für die II. Klasse. 19. - 18. Aufl. K 2·20.

Mayer Franz Dr., Geschichte des Altertums. 7.—4. Aufl. K 2· —.

Putzgers historischer Atlas von Baldamus und Schwabe. 32.—24. Aufl. K 3·60.

Becker-Mayer, Erdkunde. II. Teil. 2. Aufl. K 2· —.

Kozenns geographischer Atlas, wie in der I. Klasse.

Schmidt Josef, Arithmetik und Geometrie für die Unterstufen der Mittelschulen. II. Heft. K 2· —.

Pokornys Tierkunde
Pokornys Pflanzenreich
} wie in der I. Klasse.

III. Klasse.

Liturgik, wie in der I. Klasse.

Deimel Theodor Dr., Altes Testament. 3.—1. Aufl. K 1·90.

Deutsche Grammatik, wie in der I. Klasse.

Bauer-Jelinek-Streinz, Deutsches Lesebuch für Mittelschulen. 3 Band 2.—1. Aufl. K. 2·80.

Regeln und Wörterverzeichnis
Lateinische Grammatik
} wie in der I. Klasse.

Hauler Johann Dr., Aufgaben zur Einübung der lateinischen Syntax. I. Teil. Kasuslehre. 12. Aufl. K 1·82.

Golling J., Chrestomathie aus C. Nepos und Qu Rufus. 3. Aufl. K 2·25.

Majer Adolf und Bornecque Henri, Lehrbuch der französischen Sprache für Realgymnasien, Unterstufe. K 2·20.

Mayer Frenz Dr., Geschichte des Mittelalters. 6. Aufl. K 2·30.

Becker-Meyer Erdkunde. III, Teil. 2. Aufl. K 2·40.

Putzgers historischer Atlas, wie in der II. Klasse.

Kozenns geographischer Atlas, wie in der I. Klasse.

Schmidt Josef, Arithmetik u Geometrie für die Unterstufe der Mittelschulen. III. Heft. K 2 20.

Rosenberg K. Dr., Lehrbuch der Physik für untere Klassen der Mittelschulen. Ausgabe für Realgymnasien. K 4·70.

IV. Klasse.

Deimel Theodor Dr., Neues Testament, K 2 40.

Willomitzer, Deutsche Grammatik. 12. - 9. Aufl. K 24·0.

Regeln u. Wörterverzeichnis wie in der I. Klasse.

Jelinek-Pollak-Streinz, Deutsches Lesebuch für Gymnasien und Realgymnasien. 4. Band. K 3·—
Scheindler-Kauer, Lateinische Grammatik. 7.—5. Aufl. K. 2·80.
Hauler Johann Dr, Aufgaben zur Einübung der lateinischen Syntax. II: Moduslehre. 8.·Aufl. K 2·10.
Pramer-Kappelmacher, J. C Julii Caesaris commentarii de bello Gallico. 10 —9. Aufl. K 2·80.
Chrestomathie aus Nepos } wie in der
Griechische Grammatik. } III. Klasse.
Griechisches Elementarbuch }
Mayer Franz Dr., Geschichte der Neuzeit. 6. Aufl. K 2· .
Mayer-Berger, Geographie für die IV. Klasse der Mittelschulen. 10.- 6. Aufl. K 2 40.
Putzgers historischer Atlas, wie in der II. Klasse.
Kozenns geographischer Atlas, wie in der I. Klasse
Schmidt Josef, Lesebuch der Elementarmathematik für Gymnasien. I. Band. K 3·20
Physik wie in der III. Klasse.
Ficker Gustav Dr., Leitfaden der Mineralogie und Chemie für die IV. Klasse an Gymnasien, 4. Aufl. K 2·80.

V. Klasse.

Wappler Anton Dr., Lehrbuch der katholischen Religion. I. Teil. 9. Aufl. K 2·—.
Deutsche Grammatik, wie in der IV. Klasse.
Bauer-Jelinek-Streinz, Leitfaden der deutschen Literaturgeschichte. I. Teil. V. Klasse. K ·80.
Bauer-Jelinek-Pollak-Streinz, Deutsches Lesebuch für österreichische Mittelschulen. 5. Band. 3. 2. Aufl. K 2·80.
Regeln u. Wörterverzeichnis, wie in der I. Klasse.
Lateinische Grammatik, wie in der IV. Klasse.
Kornitzer A., Lateinisches Übungsbuch für Obergymnasien. 2. Auflage. K 3·—.
Golling J., Chrestomathie aus Livius. 3. Auflage. K 2 40.
Caesaris Commentarii de bello Gallico, wie in der III. Klasse.
Golling J., P. Ovidii Nasonis carmina selecta. 4.- 5. Auflage K 2 40.
Griechische Schulgrammatik, wie in der III. Kl.
Schenkl-Weigl, Griechisches Übungsbuch für Obergymnasien. 11. - 12. Auflage. K 2·25.
Kornitzer A.-Schenkl H, Chrestomathie aus Xenephon. 15.—13. Auflage. K 3·20.

Christ A. Th., Homers Ilias. 3. Aufl. K 3·—.
Zeche A., Lehrbuch der Geschichte für Oberklassen. I. Altertum. 6. Auflage. K 2·80.
Mayer Robert Dr., Lehrbuch der Erdkunde für die V. Klasse. K 2 60.
Kozenns geographischer Atlas, wie in der I. Kl.
Putzgers Historischer Atlas, wie in der II. Kl.
Elementarmathematik, wie in der IV. Klasse.
Wettstein R. v. Dr., Leitfaden der Botanik. 4.- 2. Auflage. K 3·90.
Hochstetter-Bisching-Toula, Leitfaden der Mineralogie. 20.—18. Auflage. K 2 80.

VI. Klasse.

Wappler A. Dr., Lehrbuch der katholischen Religion. 2 Teil. 8. Auflage. K 2·40.
Deutsche Grammatik, wie in der IV. Klasse.
Jelinek-Pollak-Streinz, Deutsches Lesebuch für österr. Mittelschulen. 6 Band. 2 Aufl. K 3 50.
Jelinek-Pollak-Streinz, Leitfaden der deutschen Literaturgeschichte. II. Teil. K 1 10.
Regeln und Wörterverzeichnis, wie in der I. Kl.
Lateinische Grammatik, wie in der IV. Klasse.
Lateinisches Übungsbuch, wie in der V. Klasse.
Scheindler A., Sallust. bellum Catilinae etc. 3.—1. Auflage. K 1·60.
Nohl H, Ciceros Reden gepen Catilina. 3. Aufl. K 1·20.
Golling J., P. Vergilii Maronis carmina selecta. 4.- 3. Auflage. K 2·20.
Griechische Grammatik, in der III. Klasse.
Griechisches Übungsbuch, wie in der V. Klasse.
Scheindler A., Herodot. Auswahl. 2. Aufl. K 2·—.
Homers Ilias, wie in der V. Klasse.
Schickinger H., Auswahl aus Plutarch. I. Teil. K 3·—.
Zeehe A., Lehrbuch der Geschichte für Oberklassen. II. Teil. 4.—2. Auflage. K 3·30.
Mayer Rob. Dr., Lehrbuch der Erdkunde für die VI. Klasse. K 2 60.
Putzgers historischer Atlas, wie in der II. Kl.
Kozenns geographischer Atlas, wie in der I. Kl.
Schmidt Josef, Lehrbuch der Elementarmathematik. II. Band. K 3 20.
Adam, Taschenbuch der Logarithmen. 39. Auflage. K 1·40.
Woldřich-Burgerstein, Leitfaden der Zoologie. 9. Auflage. K 3·20.

VII. Klasse.

Wappler A. Dr., Lehrbuch der katholischen Religion. III. Teil. 7. Auflage. K 2 40.
Deutsche Grammatik, wie in der IV. Klasse.
Bauer-Jelinek-Streinz, Deutsches Lesebuch für Mittelschulen. VII. Band. K 3 50.

Leitfaden der deutschen Literaturgeschichte.
III. -Teil. VII. Klasse. Von denselben.
Regeln u. Wörterverzeichnis, wie in der I. Kl.
Lateinische Grammatik, wie in der IV. Klasse.
Lateinisches Übungsbuch, wie in der V. Klasse.
Nohl H., Ciceros Rede für den Dichter Archias.
III. Aufl. K-- 50.
Nohl H., Ciceros viertes Buch der Anklage-
schrift gegen Verres. 3. Auflage. K 1·80.
Vergil, wie in der VI. Klasse.
Kukula R. C., Briefe des jüngeren Plinius.
3.—2. Auflage. K 1·20.
Griechische Grammatik, wie in der III. Klasse.
Griechisches Übungsbuch, wie in der V. Klasse.
Wotke Dr., Demosthenes ausgewählte Reden.
5.—4. Auflage. K 1·60.
Christ A Th., Homers Odysse. 4. Aufl. K 2·50.
Christ A. Th., Platons Apologie etc. 4. Aufl.
K 1·20.
Zeehe A., Lehrbuch der Geschichte für Ober-
klassen. III. Teil 3.—2. Auflage. K 2·50.
Putzgers historischer Atlas, wie in der II. Kl.
Kozenns geographischer Atlas, wie in der I. Kl.
Močnik-Neumann, Arithmetik und Algebra.
30—27. Auflage. K 3·70.
Močnik-Neumann, Geometrie. 25—23. Aufl.
K 3·80.
Adam, Taschenbuch der Logarithmen, wie in
der VI. Klasse.
Rosenberg Karl Dr., Lehrbuch der Physik
für Obergymnasien. 5. Auflage. K 5·60.
Höfler A., Grundlehren der Logik. 3. Aufl. K 2·90.
Höfler A., Zehn Lesestücke aus philosophischen
Klassikern. 4. Auflage K 1·—.

VIII. Klasse.

Kaltner B. Dr., Lehrbuch der Kirchenge-
schichte. 4.—3. Auflage. K 2·70.
Deutsche Grammatik, wie in der IV. Klasse.
Lampel Leop., Deutsches Lesebuch für die
oberen Klassen österr. Gymnasien. IV. Teil.
2. Auflage. K 2·84.
Regeln u. Wörterverzeichnis, wie in der I. Kl.
Lateinische Grammatik, wie in der IV. Klasse.
Lateinisches Übungsbuch, wie in der VII. Kl.
Müller-Christ, Tacitus Analen I. K 2· .
Müller-Christ, Tacitus Germania. 2. Auflage.
K —·85.
Huemer J. Dr., Horatii carmina selecta.
8.—6. Auflage. K 1·72.
Griechische Grammatik, wie in der III. Klasse.
Griechisches Übungsbuch, wie in der V. Klasse.
Homers Odyssee, wie in der VII. Klasse.

Schneider Gustav, Lesebuch aus Platon mit
einem Anhange aus Aristoteles. 2.—1. Aufl.
K 2·40.
Schubert-Hüter, Sophokles Oidipus tyrannos.
K 1·50.
Sieger-Weber-Rauchberg, Österreichishe
Vaterlandskunde. K 4·—.
Putzgers historischer Atlas, wie in der
II. Klasse.
Kozenns geographischer Atlas, wie in der
I. Klasse.
Močniks Algebra   } wie in der
Močniks Geometrie   } VII. Klasse.
Močnik-Reidinger, Logarithmen. 2.—1.
Aufl. K 1·80.
Physik, wie in der VII. Klasse.
Jerusalem W. Dr., Psychologie. 8.—4.
Aufl. K 4·—.
Höfler, Zehn Lesestücke, wie in der VII. Kl.

Israelitische Religion.

Wolfs Geschichte Israels von Dr. Pollak.
1. Heft. 15. Aufl. K —·96. 2. Heft 15.—14.
Aufl. K 1·04. 3. Heft. 11. Aufl. K —·76.
4 Heft. 12.—10. Aufl. K —·48. 5. Heft.
12.- 11. Aufl. K —·64.
Wolf, Religions- und Sittenlehre. K —·40.
Kayserling, Die fünf Bücher Moses.
Doctor M. Dr. und Biach A. Dr., Lehrbuch
der jüdischen Geschichte und Literatur.
8. Aufl. K 3·- .

Französische Sprache.

Boerner-Kukula, Lehr- und Lesebuch.
K 5 20.
Boerner-Kukula, Grammatik. K 2 60.

Böhmische Sprache.

Rypl Matthias Dr., Lehr- und Übungsbuch I.
5.—2. Aufl. K 2·10. II. 2. Aufl. K —·3.
Rypl Matthias Dr., Schulgrammatik, 2. Aufl.
K 1·80.
Schober Karl Dr., Böhmisches Lesebuch.
2.—1. Aufl. K 4 50.

Gesang.

Fiby Heinrich, Chorliederbuch. I. Teil. 3.—2.
Aufl. K 1·72. II Teil. 2. Aufl. K 2·24. III. Teil.
K 2·16

Stenographie.

Krcek Ladislaus, Lehrbuch d. stenographischen
Korrespondenzschrift. K 1 30.

Kundmachung für das Jahr 1912—13.

Schüleraufnahme:

Sommertermin.

Schüleraufnahme: Am 3.—4. Juli von 7—9 Uhr vormittags.

Aufnahmeprüfung: Am 7. und 8. Juli um 9 Uhr vormittags.

Herbsttermin.

Schüleraufnahme: Am 11. und 17. September von 7—9 Uhr vormittags.

Aufnahmeprüfung: Am 16. und 17. September um 9 Uhr vormittags.

Schüler, welche dem Gymnasium bereits angehörten, haben sich am 16. oder 17. September in der Direktionskanzlei anzumelden und den Lehrmittelbeitrag von 3 K zu erlegen.

Zur Aufnahme haben die Schüler in Begleitung ihrer Eltern oder deren Stellvertreter zu erscheinen und folgendes mitzubringen:

1. Den Tauf- oder Geburtsschein über das vollendete oder bis zum Schlusse des Jahres 1912 zu vollendende 10. Lebensjahr.

2. Das vorschriftsmäßige Zeugnis der Schule, die der Schüler zuletzt besucht hat.

3. Die Aufnahmetaxe und den Lehrmittelbeitrag im Betrage von 7 K 20 h.

4. Zwei genau und vollständig ausgefertigte Nationale.

Bei der Aufnahme wird gefordert:

1. Religion: Jenes Maß von Wissen, welches in den ersten vier Klassen der Volksschule erworben werden kann.

2. Deutsche Sprache: Fertigkeit im Lesen und Schreiben, Kenntnis der Biegung der Haupt-, Eigenschafts-, Für- und Zeitwörter, richtiges Erkennen und fertiges Bilden der Zeiten, Arten und Formen des Zeitwortes, Gewandtheit im Zergliedern einfach bekleideter Sätze. Bekanntschaft mit den Regeln der Rechtschreibung und richtige Anwendung derselben beim Diktandoschreiben.

3. Rechnen: Übung in den vier Grundrechnungsarten mit ganzen Zahlen.

Die endgültige Aufnahme hängt von dem Ergebnis der Aufnahmeprüfung ab, welches sofort nach beendeter Prüfung bekanntgegeben wird.

Die Eltern jener Schüler, welche die Aufnahmeprüfung nicht bestanden haben, können die vorgelegten Dokumente sowie die eingezahlten Beträge sofort wieder in der Direktionskanzlei beheben.

Eine Wiederholung dieser Prüfung ist in diesem Schuljahre weder an derselben noch an einer anderen Anstalt gesetzlich statthaft.

Schüler, welche die Aufnahmeprüfung nicht bestanden haben, können in die Vorbereitungsklasse aufgenommen werden.

Die Aufnahmewerber in die Vorbereitungsklasse haben **gleichfalls in** Begleitung ihrer Eltern oder deren Stellvertreter zu erscheinen und **folgendes** mitzubringen:

1. Den Tauf- oder Geburtsschein über das vollendete oder bis zum Schlusse des Jahres 1912 zu vollendende 9. Lebensjahr.

2. Das Zeugnis der mit gutem Erfolge absolvierten 3. Volksschulklasse.

Das Schulgeld beträgt im Gymnasium 30 K, in der Vorbereitungsklasse 10 K pro Semester.

Für auswärtige Schüler werden durch die Direktion vertrauenswürdige Kosthäuser namhaft gemacht.

Für protestantische Schüler wird der Unterricht in der evangelischen Religion durch den evangelischen Vikar erteilt.

Lundenburg, im Juli 1912.

Friedrich Kohn,
k. k. Direktor.

Die Direktion fühlt sich verpflichtet, allen Gönnern und Freunden der Anstalt für das im abgelaufenen Schuljahre bewiesene Wohlwollen den herzlichsten Dank auszusprechen und daran die Bitte zu knüpfen, dem Staatsgymnasium die Sympathien für die Zukunft bewahren und die werktätige Unterstützung auch weiterhin zuwenden zu wollen.

Lightning Source UK Ltd.
Milton Keynes UK
UKHW011804021118
331648UK00012B/1984/P